Dr Dorothy Einon

Testez le développement de votre enfant de 0 à 5 ans

Des tests élaborés par des professionnels
à faire chez soi pour mieux comprendre son enfant,
l'aider à grandir et réussir sa vie d'adulte.

CAR
ACT
ERE

Note de l'Éditeur
Cet ouvrage vise à procurer des renseignements précis et fiables sur le sujet abordé. Si une aide ou des conseils professionnels sont nécessaires, il est conseillé de faire appel aux services d'un professionnel compétent.

Publié précédemment au Royaume-Uni sous le titre *The Baby Development Test* par Vermillion, an imprint of Ebury Publishing.

Traduction : Dominique Françoise
Révision : Jérôme Mailloux-Garneau
Correction d'épreuves : Audrey Faille
Conception graphique et mise en pages : Folio infographie
Conception de la couverture : Cyclone Design
Photo de la couverture : Corbis

Imprimé au Canada

ISBN 978-2-89642-005-6
Dépôt légal – Bibliothèque et Archives nationales du Québec, 2007

Visitez le site des Éditions Caractère
www.editionscaractere.com

Introduction

Cet ouvrage est basé sur plusieurs séries de tests élaborés par des professionnels qui vous aideront à mieux connaître votre enfant, de sa naissance jusqu'à ses cinq ans. Le premier chapitre porte sur les développements physique et mental au cours des premières années. L'objectif des tests n'est pas de mesurer l'intelligence des enfants – il est extrêmement difficile d'anticiper le quotient intellectuel d'un enfant en se basant sur son développement comportemental durant les premières années de sa vie –, mais de vous informer sur ce que fait normalement un bébé, un bambin ou un enfant à un certain âge. Le deuxième chapitre est consacré aux aptitudes cognitives (apprentissage, mémoire, réflexion) et le troisième, aux aptitudes linguistiques. Le quatrième chapitre se penche sur la connaissance de soi et des autres et sur l'acquisition d'indépendance des enfants. Le cinquième chapitre étudie le tempérament de l'enfant, tandis que le sixième et dernier chapitre traite de l'éducation et de l'art d'être parent.

Chacun des tests proposés est basé sur des tests élaborés par des psychologues qui ont étudié le développement des enfants. Ces tests reposent sur des questions/réponses, des listes de contrôle qui regroupent différents comportements dans l'ordre qu'ils apparaissent généralement chez un enfant moyen, et reposent également sur certaines expériences que les psychologues utilisent pour montrer qu'un enfant est capable de comprendre un concept donné. Des études menées par des chercheurs américains ont montré que celles et ceux qui travaillent auprès des enfants créent un environnement plus favorable au développement de ces enfants s'ils ont reçu une formation adéquate et sont aidés par des professionnels. Les tests que nous vous proposons dans ce livre visent à aider les parents à identifier les aptitudes de leurs enfants afin qu'ils puissent les aider à se mettre en valeur et se développer dans l'unique but qu'ils réussissent leur vie d'enfant puis d'adulte.

Les enfants ne se développent pas tous au même rythme. Par exemple, en ce qui concerne le développement psychomoteur – la capacité à bouger et à contrôler son corps –, en règle générale, plus un enfant franchit tôt une étape (tenir sa tête ou se retourner dans son lit), plus il franchit rapidement les autres caps. *A contrario*, plus un enfant tarde à franchir une étape, plus il aura tendance à franchir les caps suivants plus tard que la plupart des enfants de son âge. Le développement psychomoteur dépend de la maturité psychique et physiologique. En d'autres termes, le cerveau d'un enfant qui franchit rapidement les étapes est plus mature que celui d'un enfant qui met plus de temps à franchir ces mêmes étapes. Mais prétendre que, plus un enfant met de temps à passer un cap, moins il sera brillant est tout aussi stupide que d'affirmer que, plus une jeune fille atteint sa maturité sexuelle tôt, plus elle sera séduisante ou que, plus ses seins se développent tôt, plus ils seront gros. Sauf dans des cas extrêmes (problèmes cérébraux ou troubles du développement affectant les facultés motrices et intellectuelles), un enfant finit toujours par rattraper un jour ou l'autre son retard. Par exemple, tous les enfants font des progrès considérables dès lors qu'ils commencent à se déplacer. Ils font un véritable «bond» en avant, car le monde dans lequel ils vivent s'élargit d'un seul coup. Lorsqu'ils ont envie de partir à sa découverte, ils ont la capacité physique de le faire. Ils parcourent une pièce à quatre pattes et se retournent pour voir ce qui est derrière eux, ils vont jusqu'au placard et prennent leurs cubes, ils choisissent une forme et la glisse dans le trou adéquat.

Tout ce qu'ils apprennent est un défi qui stimule leurs aptitudes. *A contrario*, les enfants qui n'essaient pas de bouger prennent, peu à peu, du retard – retard seulement passager dans la mesure où dès qu'ils se déplaceront, ils rattraperont les autres. Certains travaux de recherche tendent même à prouver que les enfants qui se déplacent à quatre pattes, puis marchent très tôt ne gardent pas leur avance, car les enfants plus lents ont tôt fait de les rattraper. Au bout de quelques mois, il est totalement impossible de dire quels sont ceux qui ont appris à se déplacer en premier.

Avant de faire les tests proposés tout au long de cet ouvrage, sachez que leur but n'est pas de mesurer l'intelligence de votre fils ou de votre fille ou de prédire si votre bébé sera un enfant prodige ou un cancre. Votre bébé est incapable de résoudre des problèmes mathématiques ou de logique, de juger si un crédit est approprié ou de reproduire une structure faite avec des briques. Mais il *est capable* de prendre l'objet que vous lui tendez, de vous écouter, de comprendre certaines choses que vous lui dites et d'essayer de communiquer avec vous. Dans les premiers mois qui suivent sa naissance, vous ne pourrez tester que ces quelques aptitudes. Si les facultés psychomotrices étaient liées à l'intelligence, les bancs des universités seraient occupés par d'anciens footballeurs professionnels et les terrains de sport et les stades seraient remplis d'avocats et de chercheurs. De même, l'acquisition précoce du langage n'est pas une preuve d'intelligence. N'oublions pas que Einstein, l'un des plus grands génies de notre ère, n'a commencé à parler que vers l'âge de deux ans.

En d'autres termes, les tests que vous vous apprêtez à faire ne vous permettent pas de présumer des facultés intellectuelles de votre enfant. Ce n'est que lorsqu'un enfant est capable de faire des choses que font les enfants en âge scolaire et les adultes que des tests appropriés permettent d'avoir une idée plus précise de ses facultés intellectuelles et de présumer de son parcours scolaire et universitaire.

Les tests effectués avant la scolarisation vous apprennent si votre enfant est ou non «au niveau» par rapport *à la moyenne*, comparativement aux enfants de son âge. En tenant compte de ces résultats, vous avez une meilleure idée, d'une part, de la manière de l'encourager et de stimuler son développement et, d'autre part, de ce qu'il sera dans un mois ou deux – ce qui vous aide à anticiper et à vous préparer en conséquence. Mais les enfants ne peuvent faire que ce que leur cerveau et leur corps leur permettent de faire. Or, la maturité de leur cerveau et de leur corps dépend en grande partie de l'environnement dans lequel ils vivent. En effet, une fois arrivés à maturité sur les plans physique et psychique, plus les enfants sont aidés, plus ils auront de chances de réussir.

Vous devez également savoir ce qui se cache derrière la notion de «moyenne». Lorsque nous disons qu'un enfant de six mois est dans la moyenne, cela signifie que la moitié des enfants de son âge NE SONT PAS CAPABLES de faire ce qu'il fait et que l'autre moitié fait parfois mieux. N'oubliez pas que pour plusieurs aspects, nous prenons comme point de départ la date à laquelle le bébé a été conçu et non le jour de sa naissance, ce qui explique pourquoi nous disons souvent que les enfants nés avant terme sont en retard. Ce facteur est primordial lorsque nous considérons les premiers sourires, les diverses expressions du visage, la mobilité et la coordination des mouvements. Car pour les bébés prématurés, mieux vaut prendre comme référence la date à laquelle ils devaient naître plutôt que la date à laquelle ils sont nés.

Dix points fondamentaux à garder à l'esprit

1. Un enfant devrait toujours être encouragé et se dire « Je peux le faire, il suffit d'essayer » même dans des domaines comme les mathématiques qui demandent une certaine connaissance. Un enfant qui croit qu'il peut faire quelque chose s'aperçoit souvent qu'en effet, il en est capable.

2. L'amour est un droit que l'on ne peut refuser à un enfant. Les enfants devraient toujours savoir qu'ils sont aimés pour ce qu'ils sont et non pas pour ce qu'ils sont capables de faire. Ne laissez jamais un enfant penser – soit en raison de vos paroles et de vos actes ou soit par la façon dont vous vous intéressez à ce qu'il fait – que vous tiendriez plus à lui s'il réussissait mieux.

3. Les enfants qui savent qu'ils sont aimés sont plus heureux. Or, les enfants heureux apprennent plus facilement.

4. Le stress empêche d'évoluer. Un enfant stressé aura tendance à vouloir rester dans le monde des enfants et refusera d'aller de l'avant. Toutes les familles passent par des périodes de stress que ressentent plus ou moins les enfants. Quoi qu'il en soit, faites toujours en sorte qu'il y ait le moins de tension, de stress possible dans l'environnement dans lequel évoluent vos enfants.

5. Les enfants ne devraient pas avoir peur d'exprimer leur opinion. Dans les familles ouvertes aux nouvelles expériences, les enfants font preuve d'une plus grande créativité.

6. Les enfants devraient être encouragés à s'exprimer, à discuter et à mettre en avant leurs idées. Demandez-leur ce qu'ils pensent et poussez-les à donner leur avis en leur posant des questions.

7. Les enfants se sentent davantage en sécurité dans un milieu où règne la discipline, c'est-à-dire un environnement où des limites sont clairement définies et où ils savent ce que l'on attend de chacun d'entre eux.

8. Les parents doivent aider les enfants à identifier un problème, mais aussi à trouver une solution.

9. Les enfants devraient vivre dans un environnement dans lequel ils se sentent en sécurité et sont stimulés.

10. Les enfants doivent être dérangés le moins possible par des éléments extérieurs (télévision allumée du matin au soir, radio à plein volume, bruits divers et autres parasites sonores), notamment lorsqu'ils ont besoin de se concentrer.

Chapitre 1
Les tests de développement

Le test évalue un grand nombre d'aptitudes qui, chez la plupart des enfants, se développent au cours de la première année, qu'il s'agisse des aptitudes physiques, des relations affectives, de la communication, de la coordination des mouvements, du jeu ou du langage. Le résultat obtenu indique si votre enfant se développe «normalement». N'oubliez pas que rien n'est figé à cet âge et que les enfants changent très vite. Par exemple, si en règle générale les enfants ne sont pas très stables sur leurs pieds avant l'âge de 14 ou 15 mois, quelques-uns marchent vers l'âge de 9 ou 10 mois, tandis que d'autres enfants, tout aussi «normaux», ne marchent que vers l'âge de 19 ou 20 mois. Quoi qu'il en soit, l'âge auquel un enfant commence à marcher n'est pas lié à l'intelligence, mais plutôt à une prouesse physique.

Les enfants progressent rarement de manière régulière et continue. Et même si, mois après mois, leurs aptitudes ne cessent de se développer, ils progressent par paliers. Ils franchissent une étape d'un seul coup, puis ils se stabilisent. En d'autres termes, en une semaine, votre enfant va faire des progrès considérables et, les semaines subséquentes, il évoluera de manière plus progressive. Celles et ceux qui étudient, semaine après semaine, le développement des enfants affirment que les changements les plus spectaculaires ont lieu vers la douzième semaine et le neuvième mois. À chaque étape, la vie des enfants semble moins facile (ils pleurent davantage et dorment moins) alors que les parents reconnaissent que leur rôle de père ou de mère est plus difficile et moins gratifiant.

Comptabiliser les résultats

1 point pour chaque réponse *a*
2 points pour chaque réponse *b*
3 points pour chaque réponse *c*

Totalisez le nombre de points et reportez-vous à la page 15.

A Test de développement pour un bébé de 6 à 12 mois

1. Votre enfant :
a) détourne la tête lorsqu'il ne veut plus manger ;   ◯
b) lève les bras lorsqu'il veut que vous le portiez ;   ◯
c) fait les « petites marionnettes » et dit au revoir
   avec la main.   ◯

2. Votre enfant est capable :
a) d'attraper un jouet que vous lui tendez ;   ◯
b) de laisser tomber un jouet délibérément ;   ◯
c) d'empiler deux cubes ou deux briques.   ◯

3. Est-ce que votre enfant :
a) éprouve des difficultés pour ouvrir les petites
   portes de ses jouets ?   ◯
b) ouvre grand une petite porte avec une main ?   ◯
c) ouvre grand une petite porte avec un index ?   ◯

4. Est-ce que votre enfant :

a) essaie d'attraper des petits morceaux de nourriture
avec la main ? ○

b) attrape des petits pois entre son pouce et son index ? ○

c) prend et pose des objets en utilisant son pouce
et son index ? ○

5. Est-ce que votre enfant :

a) est content lorsqu'il entend des comptines comme
« Une marionnette danse, danse »
ou « Bateau sur l'eau » ? ○

b) lève les mains dès qu'il entend « Une marionnette
danse, danse » ? ○

c) reproduit certains gestes qui accompagnent
une comptine ? ○

**6. Comment votre enfant procède-t-il pour vous
« dire » quelque chose ?**

a) il fait un signe (un mouvement ou un bruit)
qui signifie « Prends-moi dans tes bras », « Non », ○
« Regarde-moi », « Encore », etc. ;

b) il fait deux signes ou plus ; ○

c) il prononce un mot ou plus, ou reproduit le cri
d'un animal, même si ce n'est pas toujours très clair. ○

7. Est-ce que votre enfant :

a) détourne son attention d'un objet qu'il a laissé tomber ? ○

b) regarde l'objet qu'il vient de laisser tomber ? ○

c) laisse tomber ses jouets intentionnellement
et les suit du regard ? ○

8. Est-ce que votre enfant :

a) babille lorsqu'il veut communiquer avec vous ? ○

b) regarde là où vous regardez ? ○

c) imite ce que vous faites, par exemple, prend
un gobelet en plastique pour boire ? ○

9. Votre enfant sait-il :

a) taper sur un objet avec le plat de la main ? ○

b) pousser des objets avec l'index ? ○

c) vous montrer quelque chose par un signe du doigt ? ○

10. Est-ce que votre enfant :

a) se comporte de la même manière avec tous ses jouets ? ○

b) tape et met ses jouets à la bouche, mais sait-il aussi
prendre une peluche dans ses bras pour lui faire
un câlin et taper dans une construction en cubes
pour la faire tomber ? ○

c) sait réagir à bon escient : ouvrir les portes d'une petite
maison, appuyer sur un bouton ou empiler des cubes ? ○

11. Est-ce que votre enfant :

a) détourne son regard quand vous cachez un jouet
sous un morceau de tissu ? ○

b) regarde sous le morceau de tissu lorsqu'une partie
du jouet est visible ? ○

c) soulève le morceau de tissu pour trouver le jouet ? ○

12. Est-ce que votre enfant :

a) connaît son prénom ? ○

b) cherche son père lorsque vous lui demandez
« Où est papa ? » ○

c) utilise un « mot » pour désigner les personnes
qu'il aime, ne serait-ce qu'un bruit ? ○

13. Est-ce que votre enfant:

a) exprime sa joie ou son mécontentement en poussant
   de petits cris? ○

b) arrête de faire quelque chose dès que vous dites « Non »? ○

c) essaie de répéter des mots comme « Maman »,
   « Papa » ou « Ouaf! Ouaf! »? ○

14. Est-ce que votre enfant:

a) essaie d'attraper un objet hors de sa portée? ○

b) imite la manière dont vous tournez ou frottez
   une cuillère dans une tasse? ○

c) glisse une forme ronde dans un trou rond? ○

15. Est-ce que votre enfant:

a) vous imite lorsque vous tapez sur la table avec la main? ○

b) pousse une petite voiture en imitant le bruit du moteur? ○

c) fait un câlin et embrasse son nounours préféré? ○

Interprétation des résultats

❏ Un enfant de six mois dans la moyenne n'est pas capable de
faire tout ce qui est énuméré ci-dessus. Cependant, il obtiendra
un *a* à la plupart des questions, aura quelques *b*, mais probablement pas de *c*.
Résultat devant se situer entre 12 et 17 points.

❏ Un enfant de neuf mois dans la moyenne aura quelques *a*,
mais une majorité de *b*.
Résultat devant se situer entre 25 et 30 points.

❏ Un enfant de 12 mois dans la moyenne comptabilisera une
majorité de *c* et quelques *b*.
Résultat devant se situer entre 34 et 36 points.

B Test de développement pour un bambin de 12 à 18 mois

1. Votre enfant sait-il frapper dans ses mains, dire au revoir de la main et vous faire comprendre qu'il veut que vous le preniez dans vos bras?

a) Non, rien de tout cela. ◯

b) Une chose seulement. ◯

c) Deux choses ou plus. ◯

2. Votre enfant sait-il:

a) mettre un objet dans un récipient ou une boîte? ◯

b) mettre deux cubes l'un sur l'autre? ◯

c) construire une tour avec trois cubes? ◯

3. Votre enfant peut-il:

a) trouver un jouet qu'il vous a vu cacher? ◯

b) chercher à différents endroits afin de trouver un jouet que vous avez caché? ◯

c) trouver un jouet que vous avez déplacé à son insu? ◯

4. Combien de mots votre enfant utilise-t-il?

a) Un mot (même s'il ne le prononce pas clairement). ◯

b) Trois mots. ◯

c) Six mots ou plus. ◯

5. Est-ce que votre enfant:

a) joue de manière différente en fonction des jeux qu'il a à sa disposition, c'est-à-dire fait du bruit avec certains et fait des câlins avec d'autres? ◯

b) essaie différentes tactiques pour résoudre un problème, par exemple tourner sa main afin de glisser une forme dans le trou approprié? ◯

c) semble parfois trouver la solution sans vraiment l'avoir
   cherchée? ○

6. Votre enfant est-il capable:

a) de reproduire une action que vous lui avez montrée? ○
b) d'imiter le bruit du moteur d'une voiture? ○
c) de donner à manger à une poupée? ○

**7. Si vous prenez deux objets et que vous en glissez un sous un
   morceau de tissu et que vous posez un morceau de tissu sur
   l'autre, votre enfant:**

a) ne cherche aucun des objets; ○
b) commence par chercher l'objet sur lequel vous avez
   mis le morceau de tissu; ○
c) cherche tout d'abord l'objet que vous avez glissé
   sous le morceau de tissu. ○

8. Votre enfant est-il capable:

a) de faire une action et d'émettre un son en même temps,
   par exemple montrer du doigt un chien et dire
   « Ouaf, ouaf? » ○
b) de faire une action et de prononcer un mot en même
   temps, par exemple montrer un autobus du doigt et dire
   bus? ○
c) prononcer deux mots de suite? ○

9. Votre enfant pointe-t-il le doigt:

a) pour vous montrer quelque chose? ○
b) pour désigner des objets que vous lui avez demandé
   de vous montrer? ○
c) pour montrer des images dans un livre? ○

10. Votre enfant est-il capable d'identifier une image en désignant du doigt les objets que vous nommez?

a) Oui. ○

b) Non. ○

c) Oui, en les montrant du doigt *et* en les nommant, même si le mot n'est pas toujours prononcé distinctement. ○

11. Lorsque votre enfant joue avec les petits animaux de sa ferme:

a) il n'est pas capable de les regrouper en suivant une logique; ○

b) il regroupe les vaches d'un côté et les moutons de l'autre; ○

c) il met les mères avec leurs petits. ○

12. Votre enfant:

a) n'est pas capable de suivre un ordre accompagné d'un geste (si vous montrez du doigt ce que vous voulez); ○

b) est capable de suivre un ordre accompagné d'un geste (quand vous montrez du doigt ce que vous voulez); ○

c) suit un ordre sans qu'il soit nécessaire que vous l'accompagniez d'un geste. ○

13. Votre enfant sait-il:

a) prendre un gâteau sec, mordre dedans et le mâcher? ○

b) manger tout seul avec une cuillère, mais en renversant de la nourriture partout? ○

c) manger tout seul avec une cuillère, tout en renversant très peu de nourriture? ○

14. Est-ce que votre enfant:

a) met ses mains sur sa tasse ou son verre lorsqu'il boit? ○

b) boit au verre si vous l'aidez? ○

c) boit tout seul au verre? ○

15. Si vous lui donnez un crayon et une feuille de papier, votre enfant :

a) tient le crayon, mais sans s'en servir pour dessiner ;   ○

b) gribouille si vous l'y encouragez ;   ○

c) commence à gribouiller sans y être encouragé.   ○

Interprétation des résultats

❏ Un enfant de 12 mois dans la moyenne n'est pas capable de faire tout ce qui est énuméré ci-dessus. Cependant, il obtiendra un *a* à la plupart des questions, aura quelques *b*, mais probablement pas de *c*.
Résultat devant se situer entre 13 et 19 points.

❏ Un enfant de 15 mois dans la moyenne obtiendra une majorité de *b*.
Résultat devant se situer entre 25 et 30 points.

❏ Un enfant de 18 mois dans la moyenne comptabilisera une majorité de *b* et quelques *c*.
Résultat devant se situer entre 34 et 38 points.

Test de développement pour un bambin de 18 mois à 24 mois

1. Lorsque votre enfant joue avec une balle :

a) il la fait rouler en direction d'un adulte ;   ○

b) il la pousse du pied ou tape sur sans tomber ;   ○

c) il est capable de la mettre dans un panier se trouvant à 60 cm de lui.   ○

2. Lorsqu'il mange, votre enfant :

a) utilise ses doigts et une cuillère, mais renverse la majorité de la nourriture qui est dans la cuillère ;   ○

b) porte la cuillère à sa bouche en renversant rarement
de la nourriture ; ○

c) utilise une cuillère et une petite fourchette
simultanément. ○

3. Lorsque votre enfant veut quelque chose dont il ne connaît pas le nom :

a) il fait des gestes afin que vous compreniez ce qu'il veut,
par exemple montre du doigt un jouet sur une étagère ; ○

b) montre du doigt les objets qui sont loin de lui
et dont il a besoin ; ○

c) vous tire et vous conduit là où se trouvent les objets
qu'il désire. ○

4. Votre enfant comprend-il lorsque vous lui demandez :

a) de ne pas faire quelque chose ?

b) de vous donner le jouet dont vous dites le nom sans
que vous le désigniez du doigt, par exemple lorsque
vous lui dites « Donne-moi le crayon » ? ○

c) d'aller chercher un objet que ni vous ni lui ne voyez,
en lui indiquant l'endroit où il se trouve, par exemple
en lui disant « Va chercher ton manteau dans le coffre »,
« Va chercher ton vélo dans la cuisine » ? ○

5. Votre enfant :

a) sait-il nommer un ou deux objets ? ○

b) prononce-t-il plusieurs mots pour vous faire
comprendre ce qu'il veut, même si la prononciation
peut s'avérer être approximative ? ○

c) est-il capable de nommer ce qu'il veut, par exemple
en disant « Donne nounours » ou « Veux boire » ? ○

6. Lorsque votre enfant parle :

a) s'agit-il de babillage avec un ou deux mots prononcés
distinctement ?   ◯

b) prononce-t-il distinctement 20 mots, voire plus ?   ◯

c) met-il plusieurs mots à la suite afin de former
un semblant de phrase, par exemple « Papa parti »,
« Au revoir bus » ?   ◯

7. Lorsque votre enfant regarde un livre :

a) reconnaît-il deux ou trois objets qui sont dessinés ?   ◯

b) sait-il identifier au moins sept objets faisant partie
de son quotidien ?   ◯

c) lie-t-il des actions à une image, par exemple faire
semblant de manger un cornet ou de caresser un chien ? ◯

8. Votre enfant

a) prend-il sa poupée ou son nounours dans ses bras
pour les câliner et les embrasser ?   ◯

b) fait-il semblant de donner à manger à sa poupée ou
de mettre son nounours au lit ?   ◯

c) est-il capable d'enchaîner deux situations, par exemple
donner à manger à sa poupée et faire semblant de lui
laver la bouche ou coucher sa poupée et remonter
la couverture sur elle ?   ◯

9. Si vous lui donnez un crayon et une feuille de papier :

a) il commence à gribouiller ;   ◯

b) il dessine approximativement des cercles et des lignes ; ◯

c) il réussit à recopier une ligne ou un cercle.   ◯

10. Est-ce que votre enfant :

a) regarde dans la bonne direction lorsque des jouets
roulent et disparaissent de son champ de vision ?   ◯

b) cherche systématiquement les jouets qu'il ne trouve pas, par exemple cherche dans le bon placard, etc. ? ◯

c) se souvient de l'endroit où il a laissé un jouet ? ◯

11. Votre enfant est-il capable :

a) d'imiter une action simple, par exemple de vous imiter lorsque vous donnez des petits coups de crayon sur la table ? ◯

b) d'imiter une action plus complexe, par exemple lire un livre ou embrasser son nounours le soir avant de s'endormir ? ◯

c) de vous imiter lorsque vous faites des tâches ménagères (enlever la poussière, balayer ou laver le sol) ? ◯

12. Lorsque vous déshabillez votre enfant :

a) vous facilite-t-il la tâche en levant les bras ou en tendant la jambe ? ◯

b) enlève-t-il tout seul ses chaussures et ses chaussettes ? ◯

c) enlève-t-il son pantalon ou son gilet ? ◯

13. Lorsqu'il joue avec les animaux de sa ferme, votre enfant est-il capable :

a) de regrouper les vaches à un endroit et les moutons à un autre ? ◯

b) de mettre les mères avec leurs petits ? ◯

c) de reconstituer les familles (le père, la mère et les petits) ? ◯

14. Lorsque vous faites un dessin sur son front et qu'il se regarde dans le miroir :

a) touche-t-il son front et sourit-il en se voyant ? ◯

b) efface-t-il le dessin sur son front sans toucher son reflet dans le miroir ? ◯

c) efface-t-il le dessin sur son front *et* reconnaît-il les adultes qu'il côtoie au quotidien, ainsi que lui-même ? ◯

15. Lorsque votre enfant regarde un livre :
a) il reconnaît un certain nombre d'objets ; ◯
b) il écoute la petite histoire qui accompagne l'image ; ◯
c) il mime certaines actions. Par exemple, il fait semblant de caresser un chien. ◯

Interprétation des résultats

❑ Un enfant de 18 mois dans la moyenne n'est pas capable de faire tout ce qui est énuméré ci-dessus. Cependant, il obtiendra un *a* à la plupart des questions, aura quelques *b*, mais probablement pas de *c* .
Résultat devant se situer entre 13 et 19 points.

❑ Un enfant de 21 mois dans la moyenne obtiendra une majorité de *b*.
Résultat devant se situer entre 25 et 30 points.

❑ Un enfant de 24 mois dans la moyenne comptabilisera une majorité de *b* et quelques *c*.
Résultat devant se situer entre 34 et 38 points.

🄳 Test de développement pour un bambin de deux à trois ans

1. Votre enfant sait-il :
a) sauter de la dernière marche des escaliers ? ◯
b) grimper les escaliers en alternant les deux jambes ? ◯
c) sauter de l'avant-dernière marche des escaliers ? ◯

2. Votre enfant sait-il :

a) donner un coup de pied sur un ballon sans tomber ? ○

b) courir après un ballon ? ○

c) attraper un gros ballon que vous lui lancez en vous tenant à environ 60 cm de lui ? ○

3. Votre enfant sait-il :

a) manger tout seul avec une cuillère, sans en mettre partout ? ○

b) manger avec une fourchette et une cuillère ? ○

c) manier avec dextérité une fourchette et une cuillère ? ○

4. Votre enfant :

a) sait se faire comprendre lorsqu'il veut aller aux toilettes ; ○

b) baisse sa culotte et va aux toilettes tout seul ; ○

c) va aux toilettes, s'essuie et tire la chasse d'eau. ○

5. Votre enfant sait-il :

a) réclamer un objet en le nommant ? ○

b) parler de ce qui s'est déroulé dans le passé ? ○

c) dire en détail ce qu'il veut ? ○

6. Est-ce votre enfant :

a) coopère lorsque vous faites sa toilette ? ○

b) se lave et s'essuie les mains tout seul ? ○

c) se brosse les dents lorsque vous êtes là pour le conseiller et l'encourager ? ○

7. Est-ce que votre enfant :

a) a besoin d'aide pour s'habiller ? ○

b) se débrouille seul, pour enfiler certains vêtements (pantalon, chaussettes, etc.) ? ○

c) s'habille et se déshabille tout seul, mais nécessite de l'aide s'il y a des fermetures éclair ou des boutons. ○

8. Votre enfant sait-il :

a) s'occuper tout seul lorsque vous êtes occupé ? ○

b) commencer à jouer avec ses jeux lorsqu'il est seul ? ○

c) jouer dehors si vous pouvez le surveiller de l'intérieur ? ○

9. Votre enfant est-il capable :

a) de recopier une ligne que vous avez dessinée ? ○

b) de recopier un cercle ? ○

c) de dessiner grossièrement un personnage – la tête,
les yeux et éventuellement les jambes ? ○

10. Lorsqu'il est avec des enfants de son âge :

a) il joue non loin d'eux et, parfois, partage ses jouets avec
eux, mais ne joue jamais – ou très rarement – avec eux ; ○

b) il joue avec un autre enfant ; ○

c) il joue sans problème avec un ou plusieurs enfants. ○

11. Lorsqu'il joue à faire semblant, s'agit-il :

a) d'activités simples qu'il vit au quotidien, par exemple
faire semblant de dormir ou de donner à manger
à son nounours ? ○

b) de tâches ménagères relativement élaborées, par
exemple préparer le dîner, puis se mettre à table ? ○

c) d'entrer dans la peau de quelqu'un d'autre (par
exemple le père Noël) et faire ce qu'il fait (mettre
des jouets dans un sac à dos et les distribuer) ? ○

12. Est-ce que votre enfant :

a) reconnaît des objets familiers sur des photographies ? ○

b) reconnaît les personnes de son entourage sur
des photographies ? ○

c) identifie des petits détails sur des photographies ? ○

13. Votre enfant peut-il :

a) répondre à des ordres simples, tels que « Prends ton manteau » ? ◯

b) répondre à des ordres simples incluant des prépositions de lieu telles que « sur », « dans », etc., par exemple lorsqu'on lui dit « Mets les jouets *dans* la boîte », « Pose le verre *sur* la table » ? ◯

c) aller chercher deux ou trois objets que vous nommez et qui se trouvent dans une autre pièce ? ◯

14. Votre enfant sait-il :

a) mettre ensemble deux objets appartenant au même groupe (mettre un petit cochon avec un autre petit cochon) ? ◯

b) ET dire quel est le gros cochon et quel est le petit cochon ? ◯

c) ET dire quelle brique est lourde et quelle brique est légère ? ◯

15. Votre enfant sait-il :

a) associer deux mots « Donne boire », « Bonjour papa » ? ◯

b) associer trois mots « Papa parti travail » ? ◯

c) utiliser des pronoms (« je », « moi », « mon ») et des pluriels (« des », « les ») ? ◯

Interprétation des résultats

❏ Un enfant de deux ans dans la moyenne n'est pas capable de faire tout ce qui est énuméré ci-dessus. Cependant, il obtiendra un *a* à la plupart des questions, aura quelques *b,* mais probablement pas de *c.*
Résultat devant se situer entre 13 et 19 points.

❑ Un enfant de deux ans et demi dans la moyenne obtiendra une majorité de *b*.
Résultat devant se situer entre 25 et 30 points.

❑ Un enfant de trois ans dans la moyenne comptabilisera une majorité de *b* et quelques *c*.
Résultat devant se situer entre 34 et 38 points.

E — Test de développement pour un enfant non scolarisé de trois à quatre ans

1. Votre enfant est-il capable:

a) de demander des choses en les nommant, c'est-à-dire en disant, par exemple, « Lait », « Sirop » ? ◯

b) de décrire en détail ce qu'il veut, par exemple « un gâteau avec une tête sourire » ? ◯

c) de faire les deux choses ci-dessus et de demander sans cesse « Pourquoi » ? ◯

2. Lorsque votre enfant monte et descend les escaliers, est-ce qu'il:

a) monte et descend en mettant toujours le même pied en avant ? ◯

b) avance une jambe puis l'autre pour monter, mais met toujours le même pied en avant pour descendre ? ◯

c) monte ET descend en mettant un pied puis l'autre en avant ? ◯

3. Votre enfant peut-il:

a) lancer une balle dans un panier se trouvant à 60 cm de lui ? ◯

b) attraper un gros ballon que lance une personne
se trouvant à 1 m 20 de lui ? ◯

c) courir et donner un coup de pied sur une balle
sans s'arrêter ? ◯

4. À table, votre enfant est-il capable :

a) d'utiliser deux couverts (une fourchette et une cuillère)
pour manger ? ◯

b) d'utiliser un couteau pour étaler du beurre ou de
la confiture, même s'il est encore un peu maladroit ? ◯

c) de manier avec adresse un couteau et une fourchette ? ◯

5. Votre enfant sait-il :

a) bien tenir un verre ? ◯

b) boire dans un verre presque plein sans en mettre
partout ? ◯

c) prendre un pichet ou une bouteille de lait et en verser
sur ses céréales ? ◯

6. Quand votre enfant joue :

a) utilise-t-il des objets inappropriés, par exemple
un morceau de tissu en guise de chapeau ou une chaise
en guise de voiture ? ◯

b) fait-il semblant d'avoir des objets qui ne sont pas là,
par exemple de tenir un volant imaginaire et de
faire semblant de conduire ? ◯

c) prétend-il être quelqu'un ou quelque chose ? ◯

7. Est-ce que votre enfant :

a) se lave et s'essuie les mains tout seul ? ◯

b) se lave le visage, mais a encore besoin d'aide pour
se laver le cou et les oreilles ? ◯

c) se brosse les dents tout seul ? ◯

8. Votre enfant est-il capable:

a) de recopier un cercle que vous avez dessiné? ◯

b) de dessiner un personnage avec des jambes et une tête? ◯

c) de dessiner un personnage avec une tête, un visage, un corps, des bras ou des jambes? ◯

9. Ce point doit vous permettre d'évaluer la compréhension de concepts bien définis. Lorsque vous le lui demandez, votre enfant est-il capable:

a) de cacher un jouet *sous* un morceau de tissu? ◯

b) de vous apporter le cube qui se trouve *le plus près* du radiateur? ◯

c) de mettre un bonbon à la *fin* de la ligne? ◯

10. Ce point doit vous permettre d'évaluer la compréhension de concepts bien définis.

a) Lorsque vous montrez à votre enfant deux verres, l'un contenant du jus d'orange et l'autre vide, votre enfant est capable de dire quel verre est *vide* et quel verre est *plein*. ◯

b) Lorsque vous le lui demandez, votre enfant est capable de poser un jouet *à côté* de la chaise. ◯

c) Votre enfant peut choisir *la plus grande* des peluches, dire quel est l'arbre *le plus grand* dans le jardin et montrer l'assiette qui contient *le plus* de gâteaux. ◯

11. Votre enfant est-il capable:

a) d'aller chercher une personne qui se trouve dans la pièce d'à côté si vous le lui demandez? ◯

b) de dire bonjour à un adulte de son entourage sans que vous le lui disiez? Par exemple «Dis bonjour à grand-mère». ◯

c) de participer à une conversation entre adultes? ◯

12. Votre enfant est-il capable :

a) de dire ce qu'il ressent ? ◯

b) de demander de l'aide si nécessaire ? ◯

c) de vous consoler quand vous êtes triste ou que vous n'êtes pas bien ? ◯

13. Votre enfant :

a) se trémousse-t-il au son de la musique ? ◯

b) chante-t-il et danse t-il au son de la musique ? ◯

c) chante et danse quand vous le lui demandez ? ◯

14. Votre enfant dit-il :

a) « S'il te plaît » et « Merci » quand vous le lui rappelez ? ◯

b) souvent « S'il te plaît » et « Merci » sans que vous ayez besoin de le lui rappeler ? ◯

c) « Pardon » sans que vous le lui rappeliez ? ◯

15. Lorsqu'il s'exprime, votre enfant :

a) utilise les temps du passé « Il a plu », « Je suis allé me promener » ; ◯

b) utilise les verbes pronominaux, par exemple « Je me suis regardé dans la glace », « Il se couche » ; ◯

c) utilise les conjonctions de coordination « et », « mais » pour relater des événements ou des faits qui ont un lien ; par exemple, « Tu penses ça MAIS pas moi » ou « Tatie est là ET nous allons partir ». ◯

Interprétation des résultats

❑ Un enfant de trois ans dans la moyenne n'est pas capable de faire tout ce qui est énuméré ci-dessus. Cependant, il obtiendra un *a* à la plupart des questions, aura quelques *b*, mais probablement pas de *c*.

Résultat devant se situer entre 13 et 19 points.

❏ Un enfant de trois ans et demi dans la moyenne obtiendra une majorité de *b*.

Résultat devant se situer entre 25 et 30 points.

❏ Un enfant de quatre ans dans la moyenne comptabilisera une majorité de *b* et quelques *c*.

Résultat devant se situer entre 34 et 38 points.

Test de développement pour un enfant non scolarisé de quatre à cinq ans

1. Votre enfant est-il capable :

a) de désigner 10 parties différentes de son corps ? ◯

b) de ramasser un nombre précis d'objets (entre 5 et 10) quand vous le lui demandez ? ◯

c) d'énumérez cinq lettres ou plus de l'alphabet ? ◯

2. Votre enfant sait-il :

a) mettre ses mitaines ? ◯

b) déboutonner son manteau ? ◯

c) attacher sa ceinture de sécurité dans la voiture ? ◯

3. Votre enfant est-il capable :

a) de tenir en équilibre sur un pied pendant 4 à 5 secondes ? ◯

b) de sauter sur un pied cinq fois de suite ? ◯

c) de tenir en équilibre sur un pied (les yeux fermés) pendant 10 secondes ? ◯

4. Votre enfant sait-il :

a) sauter sur place les pieds joints ? ○

b) marcher au pas ? ○

c) sauter à la corde ? ○

5. Votre enfant est-il capable :

a) de raconter quelque chose qui vient juste de se produire ? ○

b) de prendre en compte trois ordres ? ○

c) de parler de son propre chef de ce qu'il a vécu durant la journée ? ○

6. Lorsque votre enfant s'exprime :

a) prononce-t-il des phrases même incomplètes, par exemple « Maman, donne lait bébé » ? ○

b) utilise-t-il une bonne structure grammaticale, par exemple « Je suis allé faire des courses avec maman » ? ○

c) est-il capable de raconter à la suite trois ou quatre faits qui se sont enchaînés ? ○

7. Lorsque vous empilez trois cubes, votre enfant est-il capable de dire :

a) quel cube est le plus haut ? ○

b) quel cube est le plus bas ? ○

c) quel cube est au milieu ? ○

8. Lorsque vous le lui demandez, votre enfant est-il capable :

a) de poser son ours en peluche *sous,* puis *à côté* et finalement *sur* le lit ? ○

b) de choisir la *plus grosse* peluche parmi tous ses jouets, de dire quel est *le plus grand* arbre et quelle est l'assiette qui contient *le plus* de gâteaux ? ○

c) de dire quelle assiette contient *le moins* de gâteaux et, quand vous alignez des jouets, de dire quel est le *premier* et quel est le *dernier*? ◯

9. Votre enfant utilise-t-il:

a) une cuillère et occasionnellement une fourchette? ◯
b) un couteau pour étaler du beurre? ◯
c) un couteau et une fourchette avec une certaine adresse? ◯

10. Votre enfant est-il capable de découper du papier:

a) en suivant une ligne droite? ◯
b) en suivant une courbe? ◯
c) en suivant une forme? ◯

11. Si vous le lui montrez, votre enfant est-il capable:

a) de plier une feuille de papier en deux? ◯
b) de plier une feuille de papier en quatre? ◯
c) de plier deux fois de suite une feuille de papier en suivant une diagonale? ◯

12. Votre enfant sait-il:

a) courir en suivant une ligne droite? ◯
b) courir et changer de direction sans s'arrêter? ◯
c) ramasser une balle sur le sol sans s'arrêter de courir? ◯

13. Votre enfant peut-il rester en équilibre sur un pied:

a) pendant moins de 4 secondes? ◯
b) entre 4 et 8 secondes? ◯
c) plus de 8 secondes? ◯

14. Votre enfant est-il capable:

a) de sauter de l'avant-dernière marche de l'escalier à pieds joints? ◯

b) de monter et de descendre l'escalier en mettant en avant un pied après l'autre ? ○

c) de sauter à la corde ? ○

15. Lorsqu'il s'exprime, votre enfant :

a) utilise des verbes pronominaux et les bons auxiliaires : par exemple, « Je me suis arrêté », « Il s'est couché » ; ○

b) utilise des conjonctions de coordinations telles que « et » et « mais » pour faire le lien entre plusieurs phrases : par exemple, « Tu penses ça MAIS pas moi », « Pierre est là ET nous allons sortir » ; ○

c) utilise des locutions conjonctives telles que « bien que » entre deux phrases : par exemple, « Je le ferai MÊME SI je n'en ai pas envie », « J'irai BIEN QUE tu ne le veuilles pas ». ○

Interprétation des résultats

❏ Un enfant de quatre ans dans la moyenne n'est pas capable de faire tout ce qui est énuméré ci-dessus. Cependant, il obtiendra un *a* à la plupart des questions, il aura quelques *b* mais probablement pas de *c*.
Résultat devant se situer entre 13 et 19 points.

❏ Un enfant de quatre ans et demi dans la moyenne obtiendra une majorité de *b*.
Résultat devant se situer entre 25 et 30 point.

❏ Un enfant de cinq ans dans la moyenne comptabilisera une majorité de *b* et quelques *c*.
Résultat devant se situer entre 34 et 38 points.

Ce qui influence le développement physique de l'enfant

Les gènes

Pour avoir une idée approximative de la taille qu'un garçon aura à l'âge adulte, ajoutez la taille (en cm) de son père à celle de sa mère, ajoutez 15 cm au total et divisez le résultat par deux. Pour une fille, ajoutez la taille (en cm) de son père à celle de sa mère, retranchez 15 cm au total et divisez le résultat par deux. Le poids des deux parents laisse également présumer du poids de l'enfant. Plus une famille compte de personnes ayant un surpoids, plus l'enfant a de chances d'avoir lui-même une surcharge pondérale. Le même constat s'applique à certains troubles de l'alimentation tels que l'anorexie.

Le régime alimentaire

L'alimentation a des répercussions sur la taille, le poids et, dans une certaine mesure, sur le comportement. Si les enfants vivant dans les pays développés consomment les mauvais aliments, ils sont rarement – voire jamais – sous-alimentés (sauf suite à une maladie) et, de ce fait, leur croissance est à peu près normale. Les enfants souffrant de surpoids mangent des aliments trop riches en sucres et en graisses.

- Votre enfant doit manger chaque jour cinq portions de fruits et de légumes.
- Votre enfant doit boire de l'eau ou des jus de fruits plutôt que des boissons gazeuses.
- Votre enfant doit éviter de manger des plats prêts à consommer riches en graisses et en sucres.

- Votre enfant doit manger occasionnellement des aliments pauvres en nutriments et riches en graisses et en sucres comme les chips et les sucreries.
- Encouragez votre enfant à aller jouer et à se dépenser avec ses amis.
- Faites marcher votre enfant plutôt que de prendre systématiquement la voiture.
- Proposez à votre enfant une activité physique qui lui plaise : le trampoline, la danse, la natation, etc.

Les exercices physiques

Les enfants sont par nature actifs, notamment s'ils ont de l'espace et s'ils côtoient d'autres enfants. Lorsque ces deux conditions sont réunies, les enfants ont très rarement besoin d'être poussés pour courir et sauter. C'est souvent parce que nous trouvons dangereux de laisser nos enfants jouer dehors et que les familles sont de moins en moins nombreuses que les enfants ont moins l'occasion de faire spontanément de l'exercice que les générations antérieures. Si nous manquons encore de recul pour affirmer que le fait de passer de longues heures assis devant la télévision et l'ordinateur peut avoir un effet néfaste sur la croissance et le développement psychomoteur des enfants, néanmoins plusieurs professionnels de la santé publique sont convaincus que le manque d'exercice augmente le risque d'obésité.

La santé

Une maladie longue et douloureuse peut perturber la croissance. Par ailleurs, la souffrance peut empêcher un enfant d'apprendre.

Ⓗ Ce qui influence le développement intellectuel et les aptitudes cognitives de l'enfant

Les facteurs environnementaux énumérés ci-dessous sont reconnus pour leur incidence sur le quotient intellectuel des enfants. Toutefois, notons que les enfants nés et vivant dans un milieu défavorisé (les familles monoparentales et les parents n'ayant pas fait d'études ou alors des études courtes ont souvent des problèmes financiers) ont souvent un QI relativement bas.

Dix facteurs favorisant un faible QI :

1. La mère de l'enfant a souffert ou souffre encore d'une maladie mentale.
2. La mère est très anxieuse, voire dépressive.
3. La mère a une attitude, des croyances et des principes rigides concernant le développement de son enfant.
4. Il n'y a que de très rares interactions positives entre la mère et l'enfant.
5. La mère a quitté l'école sans diplôme.
6. Le chef de famille a un poste ne requérant aucune qualification.
7. La famille compte plus de quatre enfants.
8. L'enfant a connu au moins 20 situations des plus stressantes au cours de sa petite enfance.
9. Le père ne vit pas avec la famille.
10. L'enfant appartient à une minorité qui, le plus souvent, subit des préjudices.

I La motricité

La liste de contrôle ci-dessous permet de suivre le développement physique de votre enfant au cours des cinq premières années. Cette liste de contrôle est basée sur différentes listes de contrôle établies par des psychologues qui ont étudié le comportement de nombreux enfants de leur naissance jusqu'à l'âge de cinq ans. Ils ont recoupé les résultats obtenus afin de définir ce que la majorité des enfants font à un âge donné. Selon les enfants, les résultats obtenus diffèrent. Vous noterez probablement que votre enfant ne franchit pas obligatoirement les étapes dans l'ordre dans lequel elles apparaissent sur la liste de contrôle ou qu'il n'a jamais fait certaines choses. Par exemple, certains bébés ne se déplacent jamais à quatre pattes alors que quelques-uns marchent avant même de garder l'équilibre en position debout.

On observe davantage de différences entre les filles et entre les garçons qu'on en observe entre les garçons et les filles. Ce constat est valable, toutes ethnies confondues. *A priori*, les enfants qui progressent très rapidement au cours des premiers mois (ceux qui se développent le plus vite) ne gardent pas leur avance. Inversement, ceux qui se développent moins vite ne gardent pas leur retard.

Par ailleurs, ce n'est pas parce qu'un enfant franchit rapidement les étapes qu'il sera meilleur qu'un autre sur le plan physique. À ce jour, aucune étude a prouvé qu'un enfant qui marche à neuf mois sera un sportif de haut niveau à l'âge adulte, ou qu'un enfant qui marche à 21 mois sera nul en sport. Toutefois, il semblerait que la vitesse à laquelle votre enfant acquiert de la mobilité est liée à la vitesse à laquelle il apprend à maîtriser ses mains.

Développement moteur : se déplacer et grimper

Même si le développement moteur ne suit pas forcément un ordre établi, l'évolution est pratiquement toujours la même. Tous les bébés s'assoient avant de se tenir debout et se tiennent sur leurs pieds avant de marcher, et ce, même si certains manquent encore d'équilibre, mais n'hésitent pas à se jeter en avant sans prendre appui sur quoi que ce soit et ne tombent que lorsqu'ils ne bougent plus. Tous les bébés ne se déplacent pas à quatre pattes avant de marcher. À cet effet, l'utilisation de plus en plus répandue des trotteurs et des jouets à pousser ainsi que le nombre de plus en plus élevé de mères qui refusent de voir leur bébé à plat ventre expliquent le nombre décroissant de bébés se déplaçant à quatre pattes.

Chez tous les enfants, le contrôle moteur part de la tête pour descendre ensuite vers le milieu du corps, puis les membres. L'enfant contrôle sa bouche avant son cou, son cou avant son dos, et le haut du dos avant le bas du dos. Il contrôle ses bras avant ses jambes, ses épaules avant ses avant-bras, ses bras avant ses mains et ses mains avant ses doigts. Ci-dessous, une liste de contrôle répertorie les différentes aptitudes motrices de l'enfant dans un ordre pratiquement toujours respecté. Cochez les différentes étapes que votre enfant n'a pas encore franchies. Pour connaître l'âge moyen auquel les enfants franchissent les différentes étapes, reportez-vous à la page 44.

Liste de contrôle : motricité

1. Ses genoux sont repliés sous son corps lorsqu'il est couché sur le ventre. ○
2. Il tient sa tête droite et immobile durant quelques secondes. ○

3. Son dos est arrondi lorsqu'il est en position assise. ○

4. Sa tête part en arrière si vous le tenez par les mains en position assise. ○

5. Il remue les pieds et les bras lorsqu'il est couché sur le dos. ○

6. Il redresse la tête quand il est sur le ventre. ○

7. Lorsqu'il est sur le ventre, ses hanches sont alignées, ses genoux tendus et ses bras fléchis. ○

8. Quand vous l'asseyez, il tient sa tête quelques secondes, puis il la laisse retomber en avant. ○

9. Il soutient sa tête avec un bras quand il est sur le ventre. ○

10. Il tient sa tête droite et immobile quand il est assis sur vos genoux. ○

11. Sa tête a encore tendance à tomber en arrière lorsque vous le tenez par les mains en position assise. ○

12. Il redresse la tête à 45° du sol lorsqu'il est sur le ventre. ○

13. S'il est sur vos genoux et que son dos est appuyé contre un support, il se tient droit. ○

14. Il change de position : de allongé sur le ventre à allongé sur un côté. ○

15. Sa tête ne tombe presque plus jamais en arrière lorsque vous le tenez par les mains en position assise. ○

16. Il décolle la tête et la poitrine à 90° du sol lorsqu'il est allongé sur le ventre. ○

17. Il tape avec les pieds et les mains lorsqu'il est dans son bain. ○

18. Sa tête ne tombe plus en arrière lorsque vous le tenez en position debout. ○

19. Son dos est bien droit lorsqu'il est assis. ○

20. Lorsqu'il est allongé sur le ventre, il réussit à se mettre sur le dos. ○

21. Il met ses pieds à sa bouche lorsqu'il est allongé sur le dos. ○

22. Il décolle ses épaules et sa poitrine du sol lorsqu'il est sur le ventre. ○

23. Il remue les bras et les jambes lorsqu'il est sur le ventre, mais n'arrive pas encore à avancer à quatre pattes. ○

24. Il passe sans problème de la position couchée sur le ventre à la position couchée sur le dos. ○

25. Il peut rester assis quelques instants sans support. ○

26. Ses pieds supportent le poids de son corps lorsque vous le mettez en position debout. ○

27. Allongé sur le ventre, il peut prendre appui sur ses bras qui supportent alors tout le poids de son corps. ○

28. Il sautille si vous le tenez en position debout. ○

29. Lorsqu'il est debout, il fait des pas en avant pour « marcher ». ○

30. Assis, il se penche et revient à sa position de départ. ○

31. Il se balance sur les genoux et les mains et commence à avancer et/ou à reculer à quatre pattes. ○

32. Il se déplace dans la pièce, mais pas forcément à quatre pattes. ○

33. Il se déplace à quatre pattes. ○

34. Il retrouve sa position initiale quand il se penche en avant, mais il a encore quelques difficultés à le faire lorsqu'il se penche sur les côtés. ○

35. Il se tient debout en s'appuyant sur les meubles. ○

36. Il pousse sur ses jambes pour se mettre debout. ○

37. Il marche en donnant une main à son père et une main à sa mère. ○

38. Il passe tout seul de la position couchée à la position assise. ○

39. Il retrouve facilement son équilibre lorsqu'il est assis et se penche en avant ou sur les côtés. ◯

40. Debout, il lève un pied pour faire un pas. ◯

41. Il peut attraper un jouet derrière lui sans perdre l'équilibre. ◯

42. Il se déplace en se tenant aux meubles. ◯

43. Il se tient debout en se tenant un tout petit peu pour ne pas perdre l'équilibre. ◯

44. Il se déplace à quatre pattes pour attraper un jouet ou ouvrir un placard. ◯

45. Il marche en ne donnant qu'une main. ◯

46. Il se déplace en se tenant aux meubles, observe ce qu'il trouve, se lâche et se tient debout tout seul. ◯

47. Il passe de la position assise à la position debout. ◯

48. Il grimpe les escaliers à quatre pattes. ◯

49. Il fait quelques pas sans aide ni support. ◯

50. Il grimpe sur un fauteuil, se retourne et s'assoit. ◯

51. Il marche tout seul. ◯

52. Il descend les marches sur les fesses, les pieds en avant. ◯

53. Il s'assoit sur une petite chaise. ◯

54. Il s'accroupit pour ramasser un petit jouet, puis se relève. ◯

55. Il pousse son trotteur en marchant. ◯

56. Il tient un jouet par la ficelle en marchant. ◯

57. Il monte les escaliers en vous donnant la main. ◯

58. Il penche le buste pour ramasser ses jouets sans perdre l'équilibre. ◯

59. Il marche en reculant. ◯

60. Il descend les escaliers en vous donnant la main. ◯

61. Il donne un coup de pied sur une balle qui ne bouge pas. ◯

62. Il monte et descend d'une chaise, d'un fauteuil ou d'un canapé. ◯

63. Il monte les escaliers en mettant toujours le même pied en avant. ◯

64. Il descend les escaliers en mettant toujours le même pied en avant. ◯

65. Il saute de la dernière marche de l'escalier. ◯

66. Il saute sur place à pieds joints. ◯

67. Il monte les escaliers en changeant de pied à chaque marche. ◯

68. Il saute d'une chaise basse ou de l'avant-dernière marche des escaliers. ◯

69. Il marche sur la pointe des pieds. ◯

70. Il court sur une petite distance en balançant les bras. ◯

71. Il glisse tout seul sur le toboggan. ◯

72. Il pédale sur son tricycle. ◯

73. Il marche au pas. ◯

74. Il se tient en équilibre sur un seul pied. ◯

75. Il court, puis change de direction sans s'arrêter. ◯

76. Il monte et descend les escaliers en changeant de pied à chaque marche. ◯

77. Il fait 10 sauts en avant sans perdre l'équilibre. ◯

78. Il saute par-dessus un petit obstacle. ◯

79. Il saute en reculant. ◯

80. Il saute à cloche-pied. ◯

81. Il saute à la corde. ◯

82. Il recule et avance sur une poutre. ◯

83. Il fait de la balançoire tout seul. ◯

84. Il joue à la marelle. ◯

85. Il saute à la corde (corde tournée par deux autres personnes). ◯

Quelle aptitude à quel âge ?

Un bébé dans *la moyenne* maîtrise les 48 premiers points au cours de la première année. À l'âge de cinq ans, il doit normalement arriver au point 81. Les progrès sont réalisés comme suit :

1 – 4	au cours du premier mois
5 – 8	au cours du deuxième mois
9 – 12	au cours du troisième mois
13 – 16	au cours du quatrième mois
17 – 20	au cours du cinquième mois
21 – 24	au cours du sixième mois
25 – 28	au cours du septième mois
29 – 32	au cours du huitième mois
33 – 36	au cours du neuvième mois
37 – 40	au cours du dixième mois
41 – 44	au cours du onzième mois
45 – 48	au cours du douzième mois
49 – 58	entre la première et la deuxième année
59 – 65	entre la deuxième et troisième année
66 – 74	entre la troisième et la quatrième année
75 – 81	entre la quatrième et la cinquième année
82 +	après la cinquième année

Développement psychomoteur : maîtrise et coordination des mouvements

Même si la maîtrise des mouvements ne suit pas exactement la même évolution que la mobilité, nombre de similitudes sont à noter. Le contrôle des facultés motrices commence au niveau de la tête pour gagner le milieu du corps, puis les membres. Les mouvements des épaules sont maîtrisés avant les mouvements des bras, les mouvements des bras avant ceux des mains et ceux des mains avant ceux des doigts.

Au cours des premiers mois qui suivent la naissance, les bébés ne contrôlent pas encore leurs doigts, ce qui ne les empêche pas de manipuler des objets, notamment grâce au réflexe d'agrippement. C'est ce réflexe qui permet au bébé singe de se cramponner à sa mère. Les jours qui suivent la naissance, votre bébé replie ses doigts dès que vous exercez une légère pression sur sa paume. Mettez un doigt sur sa paume, son poing se referme si fort sur votre doigt qu'il vous est impossible de le retirer. Même chez les prématurés, ce réflexe d'agrippement est très prononcé. On m'a dit qu'il était possible de tenir à l'horizontal, et à quelques centimètres au-dessus d'une table, un bébé prématuré qui agrippe ses mains à un doigt et ses orteils à un autre doigt – toutefois, je vous déconseille fortement de tenter l'expérience !

Ci-dessous, la prochaine liste de contrôle regroupe les différentes aptitudes motrices dans un ordre plus ou moins établi. Répondez aux questions les unes après les autres. L'âge auquel les enfants franchissent les différentes étapes est indiqué à la page 49.

Liste de contrôle : maîtrise et coordination des mouvements

1. Il a un réflexe d'agrippement très prononcé :
   s'il agrippe vos doigts, vous pouvez le soulever. ◯
2. Il a pratiquement toujours les poings fermés. ◯
3. Il suit du regard une lumière qui bouge lentement
   (par exemple, une lampe électrique). ◯
4. Il perd peu à peu son réflexe d'agrippement. ◯
5. Ses poings commencent peu à peu à s'ouvrir. ◯
6. Il tourne la tête pour suivre votre doigt. ◯
7. Il regarde un jouet qui bouge devant lui. ◯
8. Il attrape un hochet que vous placez devant sa main. ◯
9. Il touche les jouets suspendus devant lui afin de
   les faire bouger. ◯

10. Il attrape les jouets posés devant lui, mais perd l'équilibre
et tombe en avant. ◯

11. Il essaie de prendre avec les deux mains les jouets
que vous lui tendez. ◯

12. Il attrape un jouet, le met contre sa paume et replie
ses doigts dessus, mais il est incapable de le ramasser
s'il tombe. ◯

13. Il joue avec ses orteils. ◯

14. Il prend des petits objets à pleine main. ◯

15. Si vous lui donnez un jouet, il laisse tomber celui qu'il
tient pour l'attraper. ◯

16. Il bouge pour saisir un jouet par terre. ◯

17. Il peut tenir un objet tout en regardant autre chose. ◯

18. Il prend des objets et les porte à sa bouche. ◯

19. Il attrape ses pieds et les met à sa bouche. ◯

20. Il tient son biberon (ou votre sein) à deux mains au
moment de la tétée. Il tient son verre quand vous lui
donnez à boire. ◯

21. Il passe un jouet d'une main à l'autre. ◯

22. Il caresse un morceau de tissu soyeux ou la moquette
avec le plat de la main. ◯

23. Il tape sa cuillère (ou ses jouets) sur la table. ◯

24. Il tapote et pousse doucement les objets avec ses doigts. ◯

25. Il tire ses jouets vers lui. ◯

26. Il lâche et laisse tomber ses jouets en ouvrant la main. ◯

27. Il utilise son pouce et son index pour prendre des
petits objets. ◯

28. Il peut tenir un jouet dans chaque main et en regarder
un troisième. ◯

29. Il serre entre ses doigts un jouet qui fait du bruit. ◯

30. Il lâche et laisse tomber des objets en tournant la tête
et en ouvrant grand les mains. ◯

31. Il tape dans ses mains. ○

32. Il tape sur la table avec sa main. ○

33. Il prend de la nourriture ou du sable avec une cuillère ou une petite pelle. ○

34. Il utilise plus spontanément une main que l'autre. ○

35. Il arrive à mettre des petits objets dans une boîte ou tout autre récipient. ○

36. Il fait semblant de boire quand vous lui donnez un verre. ○

37. Il fait semblant de se brosser les cheveux. ○

38. Il commence à manger seul avec une cuillère, même s'il en met partout. ○

39. Il prend son gobelet tout seul et boit. ○

40. Il tend la main pour vous donner des objets. ○

41. Il vous imite et fait rouler une balle. ○

42. Il peut mettre quatre anneaux autour d'une tige. ○

43. Il peut retirer des fiches ou des pions d'un support. ○

44. Il peut mettre des formes (cercles et triangles) dans les trous appropriés. ○

45. Il sait empiler trois briques les unes sur les autres. ○

46. Il fait un point avec un crayon. ○

47. Il essaie de se brosser les dents. ○

48. Il est capable d'enfiler quatre grosses perles. ○

49. Il tourne les poignées de portes. ○

50. Il lance une petite balle. ○

51. Il lance une balle à une personne se trouvant à 1 m 50 de lui. ○

52. Il tourne les pages d'un livre. ○

53. Il enlève le papier d'emballage autour d'un cadeau. ○

54. Il empile cinq briques les unes sur les autres. ○

55. Il plie une feuille de papier en deux. ○

56. Il fait des constructions avec des Lego®. ○

57. Il dévisse le couvercle d'un jouet pour prendre des figurines à l'intérieur. ○

58. Il fait des boules avec de la pâte à modeler. ○

59. Il sait se servir d'un rouleau (à pâte à modeler ou à pâtisserie). ○

60. Il met trois pièces dans les formes appropriées d'un casse-tête. ○

61. Il découpe une petite bande de papier avec des ciseaux émoussés. ○

62. Il attrape une grosse balle que vous lui lancez. ○

63. Il suit le contour de formes à dessiner. ○

64. Il s'habille pratiquement tout seul. ○

65. Il se lave et s'essuie les mains tout seul. ○

66. Il visse et dévisse le capuchon de son biberon. ○

67. Il lance et attrape un gros ballon. ○

68. Il fait et découpe des formes dans de la pâte à modeler. ○

69. Il dessine grossièrement des personnages. ○

70. Il découpe en suivant une courbe. ○

71. Il colorie un dessin sans trop dépasser. ○

72. Il dessine des objets simples faisant partie de son quotidien – maisons, animaux, voitures, autobus. ○

73. Il fait des jeux de construction relativement simples. ○

74. Il découpe autour d'un cercle. ○

75. Il découpe et colle des formes simples. ○

76. Il colorie un dessin en dépassant très peu. ○

77. Il reproduit des lettres majuscules. ○

78. Il touche chaque doigt avec le pouce. ○

79. Il reproduit des lettres minuscules. ○

80. Il tape sur un clou avec un marteau. ○

Quelle aptitude à quel âge ?

Un bébé *dans la moyenne* maîtrise les 36 premiers points au cours de la première année. À l'âge de cinq ans, il doit normalement arriver au point 70. Les progrès sont réalisés comme suit :

1 – 3	au cours du premier mois
4 – 6	au cours du deuxième mois
7 – 9	au cours du troisième mois
10 – 12	au cours du quatrième mois
13 – 15	au cours du cinquième mois
16 – 18	au cours du sixième mois
19 – 21	au cours du septième mois
22 – 24	au cours du huitième mois
26 – 27	au cours du neuvième mois
28 – 30	au cours du dixième mois
31 – 33	au cours du onzième mois
34 – 36	au cours du douzième mois
37 – 41	entre le douzième et le dix-huitième mois
42 – 47	entre le dix-neuvième et le vingt-quatrième mois
48 – 60	entre la deuxième et la troisième année
61 – 66	entre la troisième et la quatrième année
66 – 70	entre la quatrième et la cinquième année
70 +	après la cinquième année

Dix points fondamentaux pour aider votre enfant

1. Encouragez toujours votre enfant afin qu'il se dise «Je peux le faire».

2. Aidez-le à avoir une bonne image de lui-même en le valorisant, en lui montrant que vous l'aimez et que vous l'admirez.

3. Ne soyez pas surpris qu'il veuille essayer.

4. Laissez-le essayer : ne vous précipitez pas pour lui venir en aide, mais laissez-le faire.

5. Parlez-lui en le regardant dans les yeux ; mettez-vous à sa hauteur.

6. Montrez-lui comme faire les choses et donnez-lui le bon exemple : les enfants apprennent en imitant les adultes.

7. Évitez de le critiquer. Essayez de le valoriser plutôt que de le rabaisser.

8. N'agissez pas en fonction de stéréotypes. Un enfant qui n'est jamais cru finit par mentir un jour ou l'autre.

9. Offrez-lui des nouveaux jouets, mais veillez à ce qu'ils soient adaptés à son âge. Lisez attentivement les étiquettes et les notices.

10. Rangez les jouets avec lesquels il ne joue plus, car il y a de fortes chances qu'ils ne l'intéressent plus.

Chapitre 2

Les aptitudes cognitives des enfants : réflexion, apprentissage et mémorisation

Dans ce chapitre, nous étudierons la manière dont les enfants réfléchissent et la façon dont leur mémoire se développe ; deux aptitudes que les psychologues et les professeurs regroupent souvent sous l'appellation « aptitudes cognitives ». La première partie est consacrée à des tests d'ordre général portant sur les aptitudes cognitives des enfants en fonction de leur âge. La deuxième partie repose sur des listes de contrôle qui vous permettront de découvrir ce que les bambins sont supposés faire à un âge donné ; elles seront suivies d'une liste de contrôle mettant en lumière ce que les enfants les plus doués sont capables de faire. La dernière partie vous propose différentes expériences qui vous aideront certainement à mieux comprendre le mode de réflexion de votre enfant.

 ## L'apprentissage au cours des premiers mois suivant la naissance

Découvrir le monde qui l'entoure et s'y familiariser constitue le premier défi que doit relever le nouveau-né. Avec le recul, il est difficile d'imaginer qu'à la naissance, un bébé ne sait pas où son corps s'arrête et où commence le reste du monde. Il ignore également quelles sont les choses qui bougent de plein gré (les animaux) et celles qui sont muées par des forces extérieures. Il n'a aucune notion de ce qu'est l'identité – votre bébé pense que vous êtes une nouvelle mère à chaque fois qu'il vous voit – ni de l'immuabilité des choses – les objets existent toujours, même lorsqu'ils sont hors du champ de vision. Au cours des mois qui suivent sa naissance, un enfant va également devoir apprendre que certaines actions ont des conséquences spécifiques et que les objets n'ont pas le même aspect selon l'angle sous lequel il les regarde.

Comment les bébés s'y prennent-ils exactement pour apprendre ?

Aujourd'hui, la majorité des psychologues pensent que deux facteurs sont déterminants lorsque l'on s'interroge sur le développement d'un enfant : l'inné et l'acquis à travers l'éducation. Nous savons que tous les enfants suivent sensiblement le même développement (développement programmé), mais, dans certaines limites, la pratique favorise les progrès, tandis que le manque d'expériences dites « normales » ralentit l'évolution de l'enfant. Par exemple, tous les enfants apprennent à parler, ce qui n'est possible que lorsque leur développement neurologique a atteint un certain niveau. Même si vous les poussez à articuler un langage intelligible, ils ne seront capables de mettre des mots ensemble pour former des phrases qu'à partir de l'âge de deux ans. Toutefois, si vous ne les y encouragez pas, ils ne prononceront des phrases structurées que beaucoup plus tard. En effet, dans la plupart des situations, il est prouvé que plus la pratique est intensive ou régulière, plus le développement des acquisitions sera rapide. Mais, sauf si elle dépasse le cadre habituel, l'expérience n'a pas réellement d'incidence sur l'aptitude finale.

En d'autres termes, l'expérience n'a pas d'influence sur l'acquisition de ce que nous appellerons la «connaissance culturelle transmise» (histoire, mathématiques, musique, art, sport) qui, nous en sommes tous conscients, dépend davantage de l'aptitude innée et de la pratique.

Pas tout à fait comme nous

Les bébés vivent dans le «ici et maintenant» avec parfois des souvenirs qui leur reviennent à l'esprit en fonction ce qu'ils voient, entendent et sentent. Assis dans leur poussette, ils voient ce qui est là à un instant «T». Ils ressentent certaines émotions à un moment précis, et les seules choses qui viennent s'ajouter, ce sont les sensations que le présent fait remonter en eux. Ce qui leur vient à l'esprit, c'est, par exemple, «La dernière fois que j'ai mis ce manteau, je suis allé me promener» ou «La dernière fois que j'ai senti cette odeur, maman a changé ma couche», mais en aucun cas des pensées du style «Hier soir, j'ai mangé des spaghettis» ou «Papa est parti travailler de bonne heure ce matin». En effet, lorsqu'ils sont dans leur poussette, rien n'évoque les spaghettis ou leur fait penser à leur père. Par ailleurs, rien de ce qui leur vient à l'esprit n'a la clarté ou l'ordre que peuvent conférer les mots. Or, sans les mots, les bébés ont du mal à organiser consciemment et à intégrer séparément des souvenirs épisodiques enregistrés dans leur mémoire (des faits qui se sont déroulés à différents moments, dans des lieux différents) pour en faire des «théories» ou des «idées» quant à la manière que les choses se passent. Ils apprennent par expériences, mais seulement si la mémoire de ces expériences est ravivée par le moment présent. Ils n'intègrent pas la connaissance acquise à des moments et dans des contextes différents de manière à avoir une vision raisonnée de la façon dont fonctionne le monde – ce que font les enfants plus âgés et les adultes. Le test qui suit nous permet de voir la manière dont évolue le mode de réflexion d'un enfant entre la naissance et le moment où sa façon de penser rejoint celle des adultes.

Les cinq premiers tests cognitifs

Les tests ci-après évaluent les aptitudes cognitives des enfants en fonction de leur âge :

6 – 12 mois
1 – 2 ans
2 – 3 ans
3 – 4 ans
4 – 5 ans

Choisissez le test correspondant à l'âge de votre enfant. Si vous hésitez entre deux tests – par exemple si votre enfant a tout juste trois ans – vous pouvez faire le test destiné aux enfants entre deux et trois ans et le test destiné aux enfants entre trois et quatre ans.

Réflexion, apprentissage et mémorisation : enfant âgé de 6 à 12 mois

1. Est-ce que votre enfant :

a) s'excite quand il est initiateur de quelque chose, par exemple lorsqu'il tape sur un jouet ou lorsqu'il le fait bouger ? ◯

b) anticipe le moment *où il va tomber* quand vous jouez à « ti-galop » ? ◯

c) sait ce qui va se passer à la page suivante du livre que vous lui lisez ? ○

2. Est-ce que votre enfant :

a) anticipe le moment où il va manger ? ○

b) reconnaît un jouet qu'il n'a pas vu depuis deux semaines ? ○

c) se souvient du visage des personnes qu'il ne voit pas souvent ? ○

3. Est-ce que votre enfant :

a) imite ce que vous faites, par exemple tirer la langue, ouvrir ou fermer la bouche ? ○

b) fait comme vous, par exemple dit au revoir de la main ? ○

c) fait semblant, avec sa dînette, de donner à manger ou à boire à sa poupée ? ○

4. Est-ce que votre enfant :

a) observe ses mains ? ○

b) regarde un objet, puis un autre comme s'il les comparait ? ○

c) cherche du regard un objet qui a roulé et disparu de son champ de vision ? ○

5. Est-ce que votre enfant :

a) joue à « Coucou !… » ? ○

b) prend un jouet rangé dans une boîte ? ○

c) pousse trois cubes comme s'il poussait un train ? ○

6. Est-ce que votre enfant :

a) regarde avec plaisir les reflets de sa mère dans les miroirs de l'armoire ? ○

b) pleure et crie lorsqu'il voit les reflets de sa mère dans les miroirs de l'armoire ? ○

c) parle à son reflet quand il se voit et tape sur le miroir ? ○

7. Est-ce que votre enfant :

a) attrape les jouets qui se trouvent à sa gauche ou à sa droite ? ○

b) cherche un jouet qui est en partie caché sous un morceau de tissu ? ○

c) cherche un jouet qui est totalement caché sous un morceau de tissu ? ○

8. Est-ce que votre enfant :

a) tape sur ses jouets ou les porte à sa bouche ? ○

b) joue différemment avec chacun des jouets, mais de façon appropriée ? ○

c) détourne son attention d'un jouet, puis revient vers lui ? ○

9. Est-ce que votre enfant :

a) reconnaît les membres de la famille au son de leur voix ? ○

b) manifeste de la joie quand il vous voit ? ○

c) essaie d'attirer votre attention quand vous pénétrez dans la pièce où il se trouve ? ○

10. Est-ce que votre enfant :

a) reconnaît son prénom ? ○

b) comprend la signification du mot « non » ? ○

c) connaît le nom de deux parties du corps (sinon plus) sans toutefois pouvoir les nommer ? ○

Comptabilisez les résultats

Chaque réponse positive vaut un point, qu'il s'agisse des questions *a*, *b* ou *c*.

1 point pour *a* tout seul
2 points pour *a* + *b*
3 points pour *a* + *b* + *c*

Interprétation des résultats

❏ Un enfant de six mois dans la moyenne n'est pas capable de faire tout ce qui est énuméré ci-dessus. Cependant, il obtiendra un *a* à la plupart des questions.
Résultat devant se situer entre 8 et 9 points.

❏ Un enfant de neuf mois dans la moyenne obtiendra une majorité de *a* avec quelques *b*.
Résultat devant se situer entre 13 et 15 points.

❏ Un enfant de 12 mois *dans la moyenne* comptabilisera une majorité de *b* et quelques *c*.
Résultat devant se situer entre 24 et 26 points.

Réflexion, apprentissage et mémorisation : enfant âgé de un à deux ans

1. Votre enfant peut-il :

a) trouver un jouet dissimulé sous un morceau de tissu ?   ◯
b) sortir, une à une, six briques du coffre à jouets ?   ◯
c) mettre un jouet dans une boîte, sur une chaise et sous un morceau de tissu lorsque vous le lui demandez ?   ◯

2. Votre enfant peut-il :

a) désigner une partie de son corps, par exemple son nez ? ◯

b) désigner cinq parties de son corps ? ◯

c) désigner dix parties de son corps ? ◯

3. Votre enfant peut-il :

a) glisser une forme ronde dans le trou approprié ou mettre une figurine dans une petite voiture ? ◯

b) empiler trois briques les unes sur les autres ? ◯

c) mettre cinq anneaux ou plus autour d'une tige et dans le bon ordre (le plus grand à la base et le plus petit au sommet) ? ◯

4. Si vous montrez à votre enfant un Lego® d'une certaine taille et d'une certaine couleur, est-il capable :

a) de le passer d'une main à l'autre afin de prendre un autre Lego® ? ◯

b) de trouver un Lego® de la même taille et de la même couleur ? ◯

c) de trouver un Lego® qui va avec les trois que vous lui montrez ? ◯

5. Si vous encouragez votre enfant :

a) vous imite-t-il lorsque vous tapez sur la table ? ◯

b) vous imite-t-il lorsque vous faites semblant de bercer sa poupée pour l'endormir ? ◯

c) vous imite-t-il, par exemple en lavant sa dînette et en la mettant à sécher ? ◯

6. Est-ce que votre enfant :

a) pousse une petite voiture ou un train ? ◯

b) pousse un train ou une voiture – ou s'assoit dans sa voiture à pédales – en imitant le bruit du moteur ou du klaxon ? ◯

c) s'assoit sur une boîte et fait semblant d'être assis dans
    une voiture, en imitant le bruit du moteur et du klaxon
    et en faisant semblant de tourner le volant?   ○

7. Si vous lui montrez un livre :
a) aime-t-il tourner les pages?   ○
b) reconnaît-il certaines images?   ○
c) écoute t-il la petite histoire que vous lui racontez?   ○

8. Votre enfant :
a) sait-il tenir un crayon?   ○
b) sait-il faire des gribouillis?   ○
c) sait-il recopier une ligne verticale que vous venez
    de dessiner?   ○

9. Lorsque vous regardez un livre ensemble, votre enfant :
a) regarde-t-il là où vous regardez ou ce que vous
    lui montrez?   ○
b) montre-t-il du doigt le chat lorsque vous lui demandez
    « Où est le chat? »   ○
c) sait-il retrouver ce chat sur les pages suivantes?   ○

10. Est-ce que votre enfant :
a) connaît son prénom?   ○
b) se montre du doigt lorsque vous lui demandez
    « Où est prénom » ?   F
c) se montre du doigt lorsque vous lui demandez
    « Où est mon fils chéri? », « Où est ma fille chérie? »   ○

Comptabilisez les résultats

Chaque réponse positive vaut un point, qu'il s'agisse des questions
a, *b* ou *c*.

- 1 point pour *a* tout seul
- 2 points pour *a* + *b*
- 3 points pour *a* + *b* + *c*

Interprétation des résultats

❏ Un enfant de un an dans la moyenne n'est pas capable de faire tout ce qui est énuméré ci-dessus. Cependant, il obtiendra un *a* à la plupart des questions.
Résultat devant se situer entre 8 et 9 points.

❏ Un enfant de dix-huit mois *dans la moyenne* obtiendra une majorité de *a* avec quelques *b*.
Résultat devant se situer entre 13 et 15 points.

❏ Un enfant de deux ans *dans la moyenne* comptabilisera une majorité de *b* et quelques *c*.
Résultat devant se situer entre 24 et 26 points.

Réflexion, apprentissage et mémorisation : enfant âgé de deux à trois ans

1. Est-ce que votre enfant est capable :

a) de donner dans le désordre plusieurs chiffres compris entre 1 et 10 ? ◯

b) de donner trois chiffres d'affilée dans le bon ordre (par exemple : un, deux, trois ou six, sept, huit) mais se trompe parfois et mélange les nombres au-dessus de 10 ? ◯

c) sait compter de 1 à 10 dans l'ordre et connaît plusieurs nombres au-dessus de 10, même s'ils sont dans le désordre ? ◯

2. Lorsqu'il joue :

a) il peut détourner son attention de son jeu, répondre
à une question et se remettre à jouer ;　○

b) il peut aller chercher quelque chose dont il a besoin de
l'autre côté de la pièce et revenir jouer ;　○

c) il peut aller dans une autre pièce chercher quelque chose
dont il a besoin et revenir jouer.　○

3. Votre enfant peut-il :

a) faire semblant ; par exemple, bercer sa poupée
pour l'endormir ?　○

b) faire semblant de remplir des tâches ménagères avec
d'autres enfants ; par exemple, cuisiner dans le coin
cuisine ?　○

c) donner des instructions à d'autres enfants afin qu'ils
fassent tous semblant de remplir des tâches ménagères ?　○

4. Est-ce que votre enfant :

a) aime se déguiser non pas pour prétendre être quelqu'un
d'autre, mais pour le plaisir de porter certains
vêtements ?　○

b) aime se déguiser même s'il n'interprète pas toujours
le rôle qui va avec les vêtements ?　○

c) met les vêtements appropriés pour jouer un rôle,
notamment lorsqu'il est avec d'autres enfants ?　○

5. Est-ce que votre enfant :

a) tourne les pages d'un livre pour trouver une image
en particulier ?　○

b) trouve le livre que vous lui avez demandé ?　○

c) est capable de vous dire ce qui va se passer ensuite
lorsque vous lui racontez une histoire simple ?　○

6. Si vous le lui demandez :

a) il est capable d'empiler trois briques les unes sur les autres ; ◯

b) il est capable de mettre trois formes différentes pour reconstituer un casse-tête ; ◯

c) il est capable de mettre trois anneaux dans le bon ordre autour d'une tige (le plus grand à la base et le plus petit au sommet). ◯

7. Votre enfant est-il capable :

a) d'associer un jouet avec l'image de ce jouet ? ◯

b) de regrouper des chaussettes ou des chaussures par paire ? ◯

c) de dire si deux choses sont identiques ou différentes ? ◯

8. Si vous dessinez un trait avec du rouge à lèvres sur son front et que vous vous asseyez avec lui devant un miroir :

a) il regarde le trait et essaie de l'enlever sur son reflet dans le miroir ; ◯

b) il frotte son front ; ◯

c) il fait des commentaires sur le fait qu'il a du rouge à lèvres sur le front. ◯

9. Votre enfant est capable :

a) de dire ce qui figure sur une image ; ◯

b) de dire ce qu'il fait ; ◯

c) de nommer au moins trois couleurs. ◯

10. Votre enfant est capable :

a) de dire quel animal pousse tel cri ; ◯

b) de dire quel objet fait tel bruit ; ◯

c) d'enchaîner différents bruits. ◯

Comptabilisez les résultats

Chaque réponse positive vaut un point, qu'il s'agisse des questions *a*, *b* ou *c*.

1 point pour *a* tout seul
2 points pour *a* + *b*
3 points pour *a* + *b* + *c*

Interprétation des résultats

❏ Un enfant de deux ans *dans la moyenne* n'est pas capable de faire tout ce qui est énuméré ci-dessus. Cependant, il obtiendra un *a* à la plupart des questions.
Résultat devant se situer entre 8 et 9 points.

❏ Un enfant de deux ans et demi *dans la moyenne* obtiendra une majorité de *a* avec quelques *b*.
Résultat devant se situer entre 13 et 15 points.

❏ Un enfant de trois ans *dans la moyenne* comptabilisera une majorité de *b* et quelques *c*.
Résultat devant se situer entre 24 et 26 points.

Réflexion, apprentissage et mémorisation : enfant âgé de trois à quatre ans

1. Votre enfant est-il capable :
a) de montrer du doigt cinq parties de son corps lorsque vous le lui demandez ? ◯
b) de montrer du doigt 10 parties de son corps lorsque

vous le lui demandez? ◯

c) de montrer du doigt la partie manquante afin
de reconstituer une image? ◯

2. Votre enfant est-il capable:

a) de prendre deux choses de la même couleur? ◯
b) de nommer trois couleurs différentes? ◯
c) de nommer huit couleurs différentes? ◯

3. Votre enfant sait-il dessiner un personnage avec:

a) des membres qui viennent compléter le corps que vous
avez dessiné? ◯
b) une tête, un corps, deux bras et deux jambes? ◯
c) une tête, un corps, deux bras, deux jambes et certains
détails comme les doigts? ◯

4. Votre enfant sait-il compter:

a) jusqu'à 3? ◯
b) jusqu'à 10? ◯
c) jusqu'à 20? ◯

5. Votre enfant sait-il reproduire:

a) une croix ou un cercle que vous venez de dessiner? ◯
b) un « V » que vous venez de dessiner? ◯
c) une ligne de « V » que vous venez de dessiner? ◯

6. Votre enfant est-il capable de dire:

a) si un objet est grand ou petit? ◯
b) si un légume est lourd ou léger? ◯
c) quel moment de la journée est associé à une activité
précise? ◯

7. Votre enfant sait-il :

a) regrouper des objets par catégorie, par exemple des fourchettes ou des cuillères ? ◯

b) vous dire quels sont les objets qui vont ensemble, par exemple les couteaux et les fourchettes, les œufs et les coquetiers ? ◯

c) mettre la table (couverts, verres, serviettes, etc.) ? ◯

8. Votre enfant est-il capable :

a) de glisser trois formes différentes dans les trous appropriés ? ◯

b) de construire un pont avec trois briques ou trois cubes ? ◯

c) de reconstituer un casse-tête de six pièces ? ◯

9. Votre enfant est-il capable :

a) d'aller chercher le livre (ou le DVD) que vous lui demandez ? ◯

b) de regarder un groupe de trois objets, puis de dire quel est celui que vous avez retiré ? ◯

c) d'énumérer les quatre animaux figurant sur une image que vous cachez ? ◯

10. Lorsque vous le lui demandez, votre enfant est capable :

a) de nommer trois actions ? ◯

b) de nommer trois couleurs ? ◯

c) de nommer trois formes ? ◯

Comptabilisez les résultats

Chaque réponse positive vaut un point, qu'il s'agisse des questions *a*, *b* ou *c*.

1 point pour *a* tout seul
2 points pour *a* + *b*
3 points pour *a* + *b* + *c*

Interprétation des résultats

❑ Un enfant de trois ans dans la moyenne n'est pas capable de faire tout ce qui est énuméré ci-dessus. Cependant, il obtiendra un *a* à la plupart des questions.
Résultat devant se situer entre 8 et 9 points.

❑ Un enfant de trois ans et demi dans la moyenne obtiendra une majorité de *a* avec quelques *b*.
Résultat devant se situer entre 13 et 15 points.

❑ Un enfant de quatre ans dans la moyenne comptabilisera une majorité de *b* et quelques *c*.
Résultat devant se situer entre 24 et 26 points.

Réflexion, apprentissage et mémorisation : enfant âgé de quatre à cinq ans

1. Si vous alignez trois voitures, votre enfant peut-il dire :

a) quelle est la première ou la dernière ? ◯
b) quelles sont la première et la dernière ? ◯
c) quelles sont la première, celle du milieu et la dernière ? ◯

2. Votre enfant est-il capable de :

a) dire ce qui va se passer lorsque vous lui racontez une histoire courte relatant des faits répétitifs ? ◯

b) raconter cinq événements essentiels dans une histoire que vous lui avez lue trois fois ? ◯

c) chanter les cinq premières lignes d'une chanson ? ◯

3. Lorsque votre enfant fait une construction avec des briques, des cubes, des pièces en bois, anticipe-t-il un plan ?

a) Pas toujours. ◯

b) Oui, si vous le lui demandez. ◯

c) Oui, à condition que vous l'y encouragiez. ◯

4. Votre enfant dessine-t-il un personnage :

a) avec une tête, un visage et parfois des bras ? ◯

b) avec une tête, un visage, un corps, des bras ou des jambes ? ◯

c) avec une tête, un visage, un corps, des bras, des jambes et certains détails tels que les doigts et les genoux ? ◯

5. Votre enfant est-il capable de suivre des instructions ?

a) Quelquefois. ◯

b) Oui, généralement à condition qu'elles ne soient pas trop complexes. ◯

c) Toujours, sauf s'il en a décidé autrement. ◯

6. Si votre enfant fait une construction à partir d'un modèle :

a) commence-t-il sans savoir où il va ? ◯

b) fait-il un plan ? ◯

c) fait-il preuve d'autocritique ? ◯

7. Si vous êtes assis en faisant dos à la fenêtre :

a) vous parle-t-il de ce qui se passe derrière vous sans réaliser que vous ne le voyez pas ? ◯

b) parle-t-il de ce que vous voyez tous les deux ? ◯

c) vous explique-t-il ce vous ne pouvez pas voir ? ◯

8. Si vous soumettez à votre enfant une devinette humoristique, par exemple « Pourquoi le sable est-il mouillé ? » :

a) il vous donne une réponse au hasard ; ◯

b) il vous donne une réponse logique et raisonnée, telle que « Parce que la mer l'a mouillé » ; ◯

c) il comprend qu'il s'agit d'une plaisanterie et vous répond sur le même ton « Parce que la mer a fait pipi ». ◯

9. Votre enfant est-il capable :

a) de détourner son attention de ce qu'il fait, puis d'y revenir ? ◯

b) de parler avec une tierce personne tout en jouant ? ◯

c) de cesser une activité pour passer à quelque chose d'autre, puis y revenir ? ◯

10. Lorsque votre enfant est allé quelque part sans vous :

a) vous raconte-t-il ce qui s'est passé comme si vous étiez avec lui, par exemple « Il m'a poussé » ? ◯

b) vous explique-t-il ce qui s'est passé, mais pas suffisamment pour que vous ayez une idée précise des faits, par exemple « Julien m'a poussé sur le toboggan » ? ◯

c) vous précise-t-il le contexte afin que vous compreniez la situation, par exemple « Julien est de mon école, il était derrière moi sur le toboggan et il m'a poussé » ? ◯

Comptabilisez les résultats

Chaque réponse positive vaut un point, qu'il s'agisse des questions *a*, *b* ou *c*.

1 point pour *a* tout seul
2 points pour *a* + *b*
3 points pour *a* + *b* + *c*

Interprétation des résultats

❏ Un enfant de quatre ans dans la moyenne n'est pas capable de faire tout ce qui est énuméré ci-dessus. Cependant, il obtiendra un *a* à la plupart des questions.
Résultat devant se situer entre 8 et 9 points.

❏ Un enfant de quatre ans et demi dans la moyenne obtiendra une majorité de *a* avec quelques *b*.
Résultat devant se situer entre 13 et 15 points.

❏ Un enfant de cinq ans dans la moyenne comptabilisera une majorité de *b* et quelques *c*.
Résultat devant se situer entre 24 et 26 points.

Liste de contrôle des apprentissages

Les listes de contrôle suivantes recensent les dix choses qu'un enfant fait et comprend selon son âge.

Vers l'âge de deux ans et demi

1. Reconnaître les membres de sa famille et les amis sur les photographies. ○

2. Essayer de comprendre ce qui se passe. Par exemple, il cache une voiture derrière la porte de son garage, puis ouvre la porte, sort la voiture et recommence. Il souffle dans son bol de lait avec une paille, regarde les bulles, attend qu'elles disparaissent et recommence. ○

3. Regarder et se laisser captiver par ce qui se passe. Par exemple, dans son bain, il met de l'eau dans un récipient, puis la verse dans la baignoire en la regardant couler attentivement. ○

4. Se reconnaître sur des photographies. ○

5. Se reconnaître dans un miroir. Si vous dessinez un trait sur son front, lorsqu'il voit son reflet, il se frotte le front afin d'effacer le trait. ○

6. Jouer à « faire semblant » avec d'autres enfants. Le jeu est simple et principalement basé sur des faits de la vie quotidienne (exécuter des tâches ménagères, faire les commissions ou conduire une voiture). ○

7. Attribuer certaines propriétés propres aux humains à des animaux et à des objets. ○

8. S'apercevoir, lorsque vous lui lisez son histoire préférée, que vous avez tourné par erreur deux pages à la fois. ○

9. Se souvenir de comptines et de petites poésies,
   notamment celles où il faut mimer des actions.   ○

10. Trier des jouets, par exemple, ranger les voitures avec
    les motos et les briques avec les cubes.   ○

Vers l'âge de trois ans

1. Bavarder et passer une partie de la journée avec
   d'autres enfants et des adultes.   ○

2. Raconter des faits, et ce, même lorsqu'il est occupé
   à jouer.   ○

3. Se souvenir de ce qui s'est passé la veille.   ○

4. Se souvenir de faits qui l'ont marqué, et ce, longtemps
   après qu'ils aient eu lieu ; par exemple, une visite au zoo.   ○

5. Suite à un événement précis, évoquer une situation passée.
   Il se souvient de la dernière fois où il est allé au jardin
   public, mais n'y avait jamais fait allusion auparavant.   ○

6. Il répète parfois certaines choses afin de ne pas les oublier,
   sans toutefois le faire systématiquement.   ○

7. Trier les objets, les jouets. Par exemple, mettre les voitures
   avec les camions et/ou les images représentant des oiseaux
   avec les images représentant des avions.   ○

8. Comparer des objets en fonction de leur taille et dire
   lequel est le plus grand et lequel est le plus petit ; lequel
   est le plus haut et lequel est le plus bas, ou encore lequel
   est le plus long et lequel est le plus court, et ce, même
   s'il fait encore parfois des erreurs.   ○

9. Reconstituer un casse-tête, ou une image, composé de
   quatre pièces.   ○

10. Dessiner une ligne horizontale et une ligne verticale,
    mais avoir des difficultés pour dessiner une ligne

diagonale. Savoir dessiner une croix, mais avoir du mal à faire un « V ».　　　　　　　　　　　　○

Vers l'âge de trois ans et demi

1. Parler comme si vous viviez ce qu'il vit et que vous voyiez ce qu'il voit.　　　　　　　　　　　○

2. Reconstituer un casse-tête, ou une image, composé de quatre pièces ou plus et compléter une image coupée en deux. Par exemple, retrouver l'autre moitié d'un cercle ou d'une voiture que vous avez coupé en deux.　　　○

3. Trier certains objets en fonction de critères spécifiques. Par exemple, séparer les vêtements blancs des vêtements de couleur ou faire un tas avec vos vêtements et un tas avec les siens, mais ne pas pouvoir séparer vos vêtements blancs de ses vêtements blancs.　　　○

4. Mettre les choses deux par deux, suivant une logique. Par exemple, mettre une tasse sur chaque soucoupe ou poser une assiette devant chaque peluche.　　○

5. Dessiner des figures fermées (cercles, carrés), des lignes et des croix. Il fait toujours des gribouillis, mais le dessin est mieux réparti sur la feuille de papier, par exemple au centre plutôt que complètement sur la droite ou sur la gauche.　　　　　　　　　　　　○

6. Comprendre le principe de causalité – ce qui fait qu'une chose se produit. Par exemple, faire le lien entre le bruit du moteur et le fait que la voiture avance.　　　○

7. Croire que la mort est éphémère.　　　　　　　○

8. Penser que si des mauvaises choses se produisent c'est parce qu'il est méchant.　　　　　　　　　○

9. Croire que si A entraîne B, B entraîne A. C'est-à-dire, par exemple, si l'on heurte une chaise, croire que la chaise nous heurtera également. ○

10. Savoir qu'il est un garçon ou qu'elle est une fille, mais ne pas avoir conscience qu'il en a toujours été et qu'il en sera toujours ainsi. ○

Vers l'âge de quatre ans

1. Parler du passé ou du futur. ○

2. Savoir expliquer pourquoi il pense que telle ou telle chose s'est produite. ○

3. Dessiner des personnages avec une tête à la forme étrange, avec les yeux sur les côtés ou les deux yeux complètement à gauche du visage. ○

4. Compléter un personnage en dessinant les jambes. ○

5. Faire des jeux de construction sans envisager ce qui va se passer. Par exemple, ne pas mettre les cubes en équilibre (la tour s'écroule) et être frustré face au résultat. ○

6. Contrôler ses mouvements : manger et boire sans en mettre partout. ○

7. Suivre le contour des morceaux d'un casse-tête puis assembler les pièces. Être capable d'assembler deux pièces, puis de les assembler toutes les deux à une troisième. ○

8. Construire un pont en prenant comme modèle celui que vous avez construit. Mettre plusieurs briques ou enfiler plusieurs perles en suivant un ordre précis. ○

9. S'habiller tout seul même si ce n'est pas toujours parfait. Par exemple, mettre la chaussure droite au pied gauche et vice versa, ou mettre son pantalon à l'envers. ○

10. Rassembler plusieurs pièces d'un jeu, dessiner un carré et nommer trois formes géométriques (triangle, cercle et carré). ○

Vers l'âge de quatre ans et demi

1. Se mettre à la place d'un autre enfant et faire comme s'il s'agissait de lui. Par exemple, dire à un enfant qui se trouve face à lui ce qu'il voit par la fenêtre, tout en précisant que c'est ce qui se passe derrière le dos de l'enfant. ○

2. Avoir conscience que ce que vous pensez et ce que vous ressentez n'est pas toujours ce qu'il pense et ressent, et en tenir compte lorsqu'il vous raconte ce qui s'est passé à la garderie ou chez la gardienne. ○

3. Dessiner le visage d'un personnage sans oublier les yeux et le nez. Dessiner les jambes, mais oublier le corps. ○

4. Savoir dessiner une maison ou un immeuble et commencer à dessiner grossièrement des bateaux et des voitures. ○

5. Dire ce qui se passe à des moments précis de la journée (le petit déjeuner, l'heure d'aller à l'école, l'heure d'aller au lit). ○

6. Mettre deux idées ensemble et tirer une conclusion; ○

7. Mettre la table et trier des objets. ○

8. Savoir reconnaître les nombres et les lettres et, si on l'y encourage, être capable d'écrire son prénom. ○

9. Faire sa toilette, se brosser les dents, s'habiller à condition qu'il n'y ait ni bouton, ni fermeture éclair. ○

10. Savoir répéter une comptine et l'accompagner de gestes appropriés. ○

Vers l'âge de cinq ans

1. Jouer à des jeux de société de son âge, mais ne pas être encore capable de définir une stratégie. ○

2. Se souvenir où il laisse les choses et réussir dans les jeux requérant cette aptitude. ○

3. Compter et savoir que trois est plus grand que deux, mais ne pas comprendre que sept et plus grand que six. ○

4. S'habiller tout seul, mettre son manteau et ses chaussures, mais avoir besoin d'aide s'il y a des lacets, des fermetures éclair et des gants. ○

5. Manger proprement et savoir utiliser une fourchette et un couteau, mais ne pas pouvoir couper sa viande. ○

6. Associer deux idées pour donner une conclusion ou remettre dans l'ordre plusieurs faits. ○

7. Faire des plaisanteries, mais ne pas comprendre pourquoi elles font rire. ○

8. Dessiner des maisons, des voitures et des personnages avec des jambes et des bras. ○

9. Avoir une idée de ce qui peut se produire et suivre des instructions simples pour réaliser des constructions plus élaborées et assembler des petits morceaux. ○

10. Colorier un dessin sans dépasser et reproduire la majorité des lettres. Laver son visage, se brosser les dents et s'essuyer les mains et le visage, mais pas le corps. ○

Votre enfant est-il doué?

Il est impossible de dire exactement d'où vient un don. Les gènes y sont vraisemblablement pour quelque chose, tout comme l'éducation et l'enseignement. Cependant, s'il suffisait d'avoir les bons gènes et un enseignement adéquat, les personnes douées ne donneraient pas l'impression de ne sortir de nulle part et d'être en quelque sorte des extraterrestres. Une personne talentueuse ne possède pas qu'une multitude d'aptitudes. Quantité d'hommes et de femmes ont une belle voix et dessinent à merveille, mais ils n'ont pas pour autant un don pour le dessin ou le chant, car leur voix ne laisse passer aucune émotion et leurs dessins laissent les autres indifférents. Pourquoi certaines personnes ont-elles un don ? Nul ne peut répondre à cette question.

Test pour déceler un don pour les arts graphiques, la musique ou le théâtre

Pour chaque question, donnez une note comprise entre 0 et 3 :

0 : Non, ce n'est pas vrai
1 : Oui, c'est vrai
2 : Oui, c'est indéniable
3 : Oui, c'est l'évidence même

1. Ses dessins ont-il toujours été bien répartis sur une feuille de papier ? Lorsqu'il a commencé à tenir un crayon, ses gribouillis étaient-ils centrés sur la feuille de papier avec autant d'espace à droite qu'à gauche ? ◯

2. A-t-il toujours dessiné sans y être poussé ? ◯

3. A-t-il rapidement su faire des choses minutieuses, telles que fermer les boutons de son manteau ? ◯

4. Comparés à ceux d'enfants de son âge, ses dessins montrent-ils plus de détails? Savait-il dessiner un visage avant l'âge de trois ans? À cinq ans, ses dessins racontaient-ils une histoire? Savait-il exprimer un mouvement dans ses dessins? ◯

5. Se réfugie-t-il dans le dessin lorsqu'il est énervé ou en colère? Exprime-t-il ses émotions à travers ses dessins? Dessine-t-il différemment selon qu'il est en colère ou joyeux? ◯

6. Joue-t-il avec les formes et les couleurs? Les personnages et les animaux qu'il dessine regardent-ils tous dans la même direction ou dans différentes directions? ◯

7. Dessine-t-il des visages sur lesquels se lisent la joie ou la tristesse? Dessine-t-il ce qui existe plutôt que ce qui pourrait exister? ◯

8. Préfère-t-il des livres qui parlent de fiction ou de faits réels? ◯

9. Vers l'âge de trois ans, est-ce que le fait de lui raconter une histoire le réconfortait lorsqu'il était triste? ◯

10. À quatre ans, savait-il inventer une histoire? ◯

11. Est-il capable de raconter un conte relativement long? ◯

12. Joue-t-il sans que quelqu'un ait besoin de l'aider à trouver une activité? ◯

13. Fait-il semblant de reproduire des scènes de la vie courante impliquant une activité physique, par exemple faire de la bicyclette? ◯

14. Imite-t-il mieux que quiconque certains bruits et certains gestes? ◯

15. Votre enfant est-il plus gracieux que les enfants de son âge? ◯

16. Aime-t-il pratiquer une activité physique ? Est-il plus souple ? ◯

17. Certains membres de la famille ont-ils une aptitude ou un goût prononcé pour la musique ? ◯

18. A-t-il toujours été sensible à la musique ? Est-ce qu'il trouve du réconfort dans la musique lorsqu'il est triste ? ◯

19. Chante-t-il et danse-t-il lorsqu'il est heureux ? A-t-il un sens inné du rythme ? À trois ans, tapait-il dans les mains et se trémoussait-il au son de la musique ? ◯

20. Chante-t-il mieux que les enfants de son âge ? ◯

21. Rejoint-il spontanément un groupe de personnes qui jouent de la musique ou chantent ? ◯

Interprétation des résultats

Faites le total des points :

Les questions 1 à 7 ont trait aux arts graphiques. Résultat obtenu : ____

Les questions 8 à 14 ont trait au théâtre. Résultat obtenu : ____

Les questions 15 à 21 ont trait à la musique. Résultat obtenu : ____

Plus le résultat dans un domaine est élevé, plus votre enfant semble être doué. Notez cependant que pour certaines questions, l'âge est un facteur déterminant. Il est peu probable qu'un enfant de moins de trois ans totalise 21 points (le score maximal) dans l'un ou l'autre des trois domaines précités, alors qu'un enfant de quatre ou cinq ans peut s'approcher d'un tel résultat.

Stimuler un don : les avantages

Qu'ils le veuillent ou non, les parents ont une influence sur le ou les dons de leur enfant, soit directement, selon la façon dont ils éduquent et enseignent à leur enfant, soit indirectement, en croyant que leur enfant a des aptitudes spécifiques et en faisant tout pour l'en persuader. Quelques parents s'interrogent sur la manière de se comporter face à un enfant qui, *a priori*, a un don. Avec le recul, plusieurs études menées dans les années 1980, notamment le programme américain Head Start portant sur des enfants de milieux défavorisés, tendent à prouver que, en général, les enfants ayant été pris en main ont plutôt bien réussi leur vie. Il semblerait que le fait que les enfants reçoivent une bonne éducation, et que les parents soient impliqués dans cette éducation, soit plutôt favorable au développement des enfants et qu'il faille stimuler les enfants ayant *a priori* un don.

Couver un enfant : les inconvénients

Il paraît logique de dire que si un peu d'aide ne nuit pas, beaucoup d'aide ne peut qu'être bénéfique. D'autant plus que, selon plusieurs études portant sur des enfants surprotégés, la plupart des « petits génies » sont poussés par des parents ambitieux qui organisent la vie de leur enfant d'une main de fer. Il semblerait même que les parents d'enfants doués n'hésitent pas à mettre toute leur vie au service du « génie » de leur progéniture.

Si cela suffisait, il serait inutile de chercher plus loin. Or, la réalité est toute autre. Mis à part les joueurs de tennis et de golf, la plupart des personnes qui excellent dans un domaine ne présentaient aucune aptitude particulière lorsqu'elles étaient enfants. De plus, une éducation poussée et précoce ne réussit pas à tous les enfants et, bien souvent, nuit aux relations parents-enfants. Certains parents mettent la barre si haute que leur enfant ne peut jamais l'atteindre malgré tous ses efforts, ce qui se traduit par une grande fatigue sur les plans physique et émotionnel. D'autres enfants arrêtent tout simplement de progresser, car ils finissent par avoir peur d'échouer. Pour les musicologues, celles et ceux qui ont commencé à jouer du piano dès leur plus jeune âge et qui continuent de jouer n'ont pas nécessairement de meilleures aptitudes – ou ne portent pas un plus grand amour à la musique – que celles et ceux qui ont commencé à jouer du piano très jeunes, mais qui se sont arrêtés. Tout est une question de choix, certains ayant choisi de passer à autre chose. Par ailleurs, celles et ceux qui commencent la musique plus tard, soit vers l'âge de huit ans, ont tendance à ne pas arrêter. Par ailleurs, les enfants qui montraient une certaine aptitude et qui ont tout laissé tomber à l'âge adulte expliquent leur choix par le fait qu'ils n'étaient pas réellement motivés, mais plutôt « poussés » par leurs parents. Les parents « groupies » ont souvent de mauvaises surprises, et très souvent un fossé se creuse entre eux et leur progéniture ; un fossé qui, au fil du temps, ne peut plus être comblé.

Découvrir le monde

Dans cette partie, nous verrons, à travers quelques expériences classiques, la manière dont les enfants voient le monde. Une bonne façon de nous rappeler que les enfants ne sont pas seulement des petits êtres : ce sont des personnes à part entière qui pensent et mémorisent les choses, et ce, même s'ils le font différemment de nous, les adultes. Les enfants ne sont pas seulement des adultes de petite taille, ils sont également immatures sur les plans physique et mental. Le corps d'un enfant n'est pas seulement la reproduction miniature du corps d'un adulte : sa forme est également différente. De la même façon, la main d'un enfant n'est pas seulement plus petite que la main d'un adulte, elle est aussi beaucoup moins adroite.

Tout comme son corps et sa main, le cerveau d'un enfant est plus petit et plus immature que le cerveau d'un adulte. À la naissance, la taille du cerveau correspond au tiers de la taille du cerveau d'un adulte, et plusieurs connections neurologiques ne sont pas encore établies. Les enfants savent moins de choses que leurs parents, bien sûr, mais ils pensent aussi différemment. Et ce sont ces différences que nous allons aborder dans cette partie. Mais avant tout, faites le test ci-après :

1. Quel mois vient après le mois de juillet ? ○
2. Quelle est la capitale de l'Angleterre ? ○
3. Quel est le nom de baptême de votre mère ? ○
4. Que font 8 + 6 ? ○
5. Où avez-vous fêté Noël l'an dernier ? ○
6. Comment sont disposés les trois points sur un dé ? ○
7. Comment sont disposés les trois cœurs sur une carte à jouer ? ○
8. Quelles sont les lettres sur la première ligne du clavier d'un ordinateur ? ○
9. Quelle est l'odeur du lard fumé ? ○
10. Quel est le goût du chocolat ? ○

Nous répondons presque tous sans hésitation aux cinq premières questions, mais nous avons besoin de réfléchir pour savoir comment sont placés les points sur le dé, les cœurs sur la carte et pour dire quelles sont les lettres sur le clavier. Par ailleurs, rares sont les personnes qui peuvent répondre aux deux dernières questions, alors que nous savons tous reconnaître l'odeur du lard fumé et le goût du chocolat. Si nous ne sommes pas capables de répondre à ces questions, ce n'est pas parce qu'elles font référence à des choses qui nous sont étrangères, car nous mangeons très certainement plus souvent du chocolat que nous ne voyons de cartes à jouer. Nous avons plutôt du mal à répondre à une question dès lors que nous n'arrivons pas à mettre des mots sur les choses : nul doute que le langage change notre façon de penser et de nous remémorer certains faits.

Jusqu'à l'âge de un an, les enfants n'ont pas les mots pour préciser leurs pensées ou leurs souvenirs, et même lorsqu'ils savent parler, ils ne savent pas automatiquement mettre des mots sur leurs pensées. En d'autres termes, leur manière de penser est souvent assez différente, d'une part, de la manière dont les adultes pensent et, d'autre part, de la manière dont ils penseront et dont ils se souviendront des choses plus tard.

Découvrir les objets

Si vous photographiez une tasse du dessus, le résultat sera totalement différent du résultat que vous auriez obtenu si vous l'aviez photographiée de côté. Par ailleurs, si vous vous mettez à 60 cm de la tasse pour la photographier, elle sera beaucoup plus grosse que si vous vous placez à 3 mètres d'elle. Dans la mesure où nous ne sommes pas statiques, les *images* des objets qui parviennent jusqu'à notre rétine et qui sont ensuite analysées par notre cerveau changent sans cesse, alors que les objets, quant à eux, restent les mêmes. Les tests qui permettent de dire si les bébés ont développé ce que l'on appelle la constante perceptive (terme technique pour expliquer qu'une tasse reste toujours une tasse, et ce, quel que soit l'angle sous lequel on la regarde) sont trop complexes pour être faits chez soi, tandis que d'autres aspects que les bébés (entre zéro et un an) appréhendent face à un objet sont plus faciles à tester. Parmi ces aspects : l'*identité* de l'objet, c'est-à-dire le fait qu'il s'agit du même objet qu'on a déjà vu peu de temps avant, et la *permanence* de l'objet, à savoir le fait que l'objet ne disparaît pas même si je ne le regarde plus.

Ce que les bébés doivent apprendre au sujet des objets

Leur constante perceptive	Savoir qu'un objet vu sous des angles différents et sous des lumières différentes demeure le même. Vers quatre ou cinq mois, le comportement des enfants montre qu'ils ont bien compris cet aspect des choses.
Leur identité	Savoir que l'objet qui est devant eux est l'objet qu'ils ont déjà vu. Vers l'âge de cinq ou six mois, le comportement des enfants montre qu'ils ont bien compris cet aspect des choses.
Leur permanence	Savoir qu'un objet existe toujours même lorsqu'il est hors de vue. Les enfants maîtrisent véritablement cet aspect vers l'âge de 10 ou 14 mois, même s'ils l'appréhendent déjà vers l'âge de 7 mois.

L'identité d'un objet

Un test facile à réaliser qui permet de vérifier si votre bébé a conscience qu'il n'a qu'une seule mère. Ce test a permis aux pédopsychiatres de découvrir à partir de quel âge les enfants savent qu'ils n'ont qu'une seule mère. Ils se sont aperçus que les tout-petits sont ravis de voir toutes ces mères et tous ces bébés, tandis que vers l'âge cinq ou six mois, ils se montrent beaucoup moins enthousiastes ; ils savent qu'il ne devrait y avoir qu'une mère et ils sont perturbés par l'expérience. Certains pleurent alors que d'autres détournent leur regard ou sont perplexes.

Que l'enfant refuse de voir toutes ces mères, cela est la réaction que nous attendons de lui, car elle prouve qu'il a conscience de l'*identité des objets*.

Ce dont vous avez besoin

- Une coiffeuse, avec un miroir de face et deux miroirs de côté, pour que le reflet des images soit multiple.
- Une chaise devant la coiffeuse.

Ce que vous devez faire

Orientez les miroirs afin que votre image ne se reflète qu'une fois. Asseyez-vous sur la chaise face à la coiffeuse et prenez votre bébé sur vos genoux. Montrez-lui du doigt votre reflet dans le miroir. Un bébé ne se reconnaît pas, mais reconnaît sa mère. Puis, orientez les miroirs afin que votre image se reflète plusieurs fois. Comment votre enfant réagit-il en voyant plusieurs bébés et plusieurs mamans ?

La permanence d'un objet

Ce test a permis aux pédopsychiatres de déterminer vers quel âge les enfants comprennent que les objets continuent d'exister même lorsqu'ils sont hors de leur champ de vision.

Vers l'âge de cinq ou sept mois, pratiquement tous les enfants se désintéressent d'un objet dès lors qu'ils ne le voient plus, tandis que vers l'âge de 8 ou 12 mois, leur attitude change. Dans un premier temps, ils cherchent le jouet dont une partie est toujours visible, puis, peu à peu, ils cherchent le jouet même s'il est totalement recouvert par le morceau de tissu.

Il faut attendre plusieurs mois avant que les enfants maîtrisent cet aspect. Ci-après, suit une petite expérience qui vous aidera à déterminer si votre enfant a passé ce cap.

Ce dont vous avez besoin

* Deux jouets totalement différents : une peluche et un train.
* Un morceau de tissu pour couvrir les jouets et un carton suffisamment grand pour pouvoir cacher les jouets derrière.
* Une table et une chaise.

Ce que vous devez faire

Assoyez le bébé sur la chaise et approchez-le de la table, puis donnez-lui une peluche pour qu'il joue. Au bout d'une minute ou deux, attirez son attention et profitez-en pour lui prendre son jouet. Posez-le sur la table et recouvrez-le avec le morceau de tissu. Observez votre enfant. S'il n'a aucune réaction, retirez la peluche de sous le morceau de tissu, puis refaites le test, mais cette fois, en ne dissimulant qu'une partie de la peluche.

Ce que vous pouvez également essayer

Cachez un nounours sous un morceau de tissu sans que votre bébé s'en aperçoive et laissez-le chercher la peluche. Faites le test 10 fois de suite. Puis, prenez un deuxième morceau de tissu et cette fois montrez à votre bébé que vous cachez le nounours sous ce morceau de tissu. Ne soyez pas surpris que votre bébé cherche la peluche sous le premier morceau de tissu.

Remplacez le nounours par une poupée. Montrez à votre bébé que vous cachez la poupée sous le morceau de tissu, mais retirez-la au moment où vous posez le morceau de tissu.

Retirez le morceau de tissu. Même les bébés de cinq mois sont surpris de découvrir qu'il n'y a rien sous le morceau de tissu.

Recommencez le test, mais, cette fois, ne retirez pas la poupée, mais mettez-en deux. Même les bébés de cinq mois sont surpris de découvrir qu'il y a deux poupées sous le morceau de tissu. Montrez à votre bébé que vous cachez la poupée sous le morceau de tissu, puis retirez discrètement la poupée et mettez un autre jouet à la place. Les enfants qui ont été surpris de découvrir qu'il n'y avait rien sous le morceau de tissu ne montrent aucun signe d'étonnement. En effet, ils s'attendent à découvrir quelque chose sous le morceau de tissu peu importe de quoi il s'agit.

Pendant combien de temps un enfant peut-il se souvenir de quelque chose ?

Les pédopsychiatres pratiquent ce test pour étudier le développement de la mémoire chez l'enfant. Le test pratiqué sur des bébés de deux mois a démontré que s'il est refait le jour suivant, les bébés agitent les pieds dès qu'ils voient les pompons. Si l'intervalle entre les deux tests dépasse trois jours, les bébés semblent ne pas se souvenir de la relation de cause à effet. Des bébés de trois mois s'en souviennent même si les deux tests sont espacés d'une semaine, mais pas de deux semaines. Des bébés de six mois s'en souviennent même si les tests sont faits à deux semaines d'intervalle, mais pas à trois semaines. Plus les bébés grandissent, meilleure est leur mémoire et plus les tests peuvent être espacés.

Un test facile et édifiant.

Ce dont vous avez besoin

• Un morceau de grosse corde ou un gros élastique que vous fixerez en travers du lit de votre bébé ou de son parc à jouer, ou, si vous préférez, un tapis de jeu avec un arceau en plastique flexible. (L'arceau doit bouger lorsque que vous tirez sur le ruban attaché à l'arceau. Voir ci-dessous.)

- Cinq pompons (ou boules de sapin de Noël, à condition qu'elles ne soient pas en verre ou qu'elles risquent de couper) ou des cartes de couleur que vous fixez sur la corde.
- Un ruban que vous attacherez à la cheville de votre bébé afin que bougent la corde et les pompons dès que votre bébé bougera le pied.

Ce que vous devez faire

Suspendez les pompons à la corde. Attachez une extrémité du ruban à la corde et l'autre à la cheville de votre bébé. Lorsque votre bébé bouge le pied, la corde bouge et les pompons bougent aussi. Observez sa réaction afin de déterminer à quel moment il prend conscience de la relation de cause à effet. Lorsqu'il commence à montrer que cela ne l'amuse plus, retirez les pompons. Puis, refaites le test un peu plus tard. Après combien de temps votre bébé commence-t-il à bouger intentionnellement le pied pour faire bouger les pompons? Met-il moins de temps que lors du premier test?

Ce que vous pouvez également essayer

- **Les tout-petits savent-ils compter?** Faites le test ci-dessus avec quatre pompons, puis refaites-le après avoir ajouté ou retiré un pompon. Votre enfant réagit-il différemment? Si votre bébé met plus de temps avant de bouger le pied pour actionner la corde, il est fort probable qu'il se soit aperçu que quelque chose a changé.

- **A-t-il vraiment tout oublié?** Si vous mettez votre bébé dans la même situation, à savoir que vous l'allongez sous les pompons, mais que vous n'attachez pas le ruban à sa cheville, il est probable qu'il remuera les jambes dès qu'il verra les pompons. Dès que votre enfant est allongé sous les pompons, il se souvient de ce qui s'est passé le jour du test, et ce, durant un mois, tandis que, normalement, il devrait avoir tout oublié au bout de quelques jours.

À partir de quel âge votre bébé est-il capable de classer les objets par famille ?

Pour pouvoir comprendre ce que veulent dire les mots, les enfants doivent être capables de classer les choses qui les entourent : les plantes et les animaux, les tables et les chaises, les chiens et les chats. Ils doivent apprendre à faire des catégories.

L'un des tests permettant de dire si votre enfant est capable de classer les choses par catégorie – étape qui doit être franchie afin qu'il puisse parler – est relativement simple. Montrez à votre enfant deux images d'objets appartenant à une *seule et même* catégorie, puis montrez-lui l'image d'un objet appartenant à cette catégorie et l'image d'un objet appartenant à une autre catégorie. Votre bébé regarde-t-il plus longtemps ou avec une plus grande attention cet « intrus » ? Si oui, alors vous pouvez en conclure qu'il sait classer les choses par catégorie. Par exemple, montrez-lui trois séries de deux images représentant un chat. Sur chaque image, les chats sont dans des positions différentes, ils sont de races différentes et ont des poils de couleurs différentes. Montrez-lui ensuite une image avec un chat et une image avec un cochon ou un chien. S'il sait classer les choses, il regardera avec plus d'intérêt et plus longuement l'image avec le chien ou le cochon.

Les pédopsychiatres font appel à ce test pour étudier à quel âge un enfant est capable de classer les choses par catégorie. Vers l'âge de trois ou quatre mois, les enfants regardent plus attentivement l'objet « intrus », ce qui tend à prouver qu'ils ont la notion d'appartenance à une catégorie. N'hésitez pas à recommencer le test avec d'autres objets, par exemple des voitures et un tracteur, des maisons et un immeuble, etc. Puis, soyez moins précis, par exemple en ne prenant plus des chats, mais des animaux, et non plus des maisons, mais des bâtiments que vous associerez à un élément « intrus ».

Ce dont vous avez besoin

- Choisissez sept images représentant des animaux ou des objets appartenant à une même catégorie. Vous pouvez prendre des images représentant des chats de races différentes ou des voitures de marques différentes. Prenez également une image représentant un « intrus », par exemple un chien ou un camion.

Ce que vous devez faire

- Mettez côte à côte deux images montrant deux chats de races différentes, avec des poils de couleurs différentes et dans des positions variées.
- Montrez trois séries de deux chats à votre bébé.
- Puis, montrez-lui un chat et un chien.
- Regarde-t-il plus longuement et plus attentivement le chien que le chat ?

Dix points fondamentaux

1. Aidez votre enfant à se concentrer : gardez les jouets qu'il n'utilise pas hors de sa vue.

2. Évitez au maximum tout ce qui est susceptible de le distraire : faites le moins de bruit possible quand il doit se concentrer et éteignez la télévision. Les enfants ont du mal à détourner leur attention de ce qui attire le regard.

3. Les enfants se concentrent plus facilement s'ils ne sont pas agités. Avant de leur demander de faire quelque chose qui exige de la concentration, laissez-les évacuer leur énergie en dansant, en criant ou en sautant.

4. Si vous avez quelque chose d'important à dire à votre enfant, mettez-vous à sa hauteur et regardez-le dans les yeux.

5. Discutez avec lui, répondez à ses questions et encouragez-le à poser des questions.

6. Les enfants mémorisent plus facilement les choses s'ils ont des repères. Une routine ne peut que les aider à progresser de jour en jour.

7. Sollicitez les compétences de votre enfant et félicitez-le.

8. Ne soyez pas maniaque. Les enfants peuvent refuser d'apprendre s'ils ont peur de salir leurs vêtements, de mettre de l'eau partout ou de faire des taches de peinture.

9. Dites-lui qu'il est intelligent.

10. N'oubliez jamais qu'un jouet ou un jeu destiné à des enfants plus âgés que lui ne stimule ni sa connaissance ni ses compétences, mais ne peut que le desservir. S'il échoue, il se sent frustré.

Chapitre 3

Les tests du langage

Même si tous les enfants franchissent cette étape et que leurs vagissements et babillages se font entendre depuis déjà fort longtemps, les premiers mots d'un bébé sont toujours un vrai miracle – le premier d'une longue série. Un vieux proverbe dit que «les yeux sont la fenêtre de l'âme», or chez les enfants, c'est très vraisemblablement le langage qui tient ce rôle. En effet, c'est ce qu'ils disent qui nous ouvre leur âme. «Est-ce un autre paradis?» m'a demandé mon fils alors que marchions dans la forêt un matin brumeux d'automne. Tout d'un coup, l'effervescence et le bruit de Londres se sont arrêtés et je l'ai regardé dans les yeux. Il avait raison. Et encore aujourd'hui, certains matins d'hiver, lorsque je coupe par la forêt et que je vois la lumière filtrer à travers les arbres comme mon fils l'a vue ce jour là, ses mots me reviennent à la mémoire. Il y a toujours un moment où les parents sont estomaqués par les paroles de leurs enfants, et ce sont ces petites choses qui rendent heureux.

Le langage est la preuve que l'enfant a le désir de faire son entrée dans la société. Même si une multitude d'autres créatures vivent en société ont leur propre mode de communication et organisent leurs rapports avec les autres en fonction de règles précises, nous, les humains, sommes les seuls à faire part verbalement de nos pensées et de nos sentiments, à bavarder pour passer le temps et à raconter des histoires qui nous permettent de revivre et de partager nos expériences.

Langage et maturité du cerveau

Chez l'enfant, le développement du langage est intimement lié à la maturation de son cerveau et à ses facultés cérébrales. À la naissance, la mémoire de votre bébé est trop limitée et les facultés lui permettant d'organiser l'enchaînement de petits sons qui donnent les mots – soit pour décoder leur signification, soit pour reproduire des mots et des phrases – sont trop complexes pour pouvoir être gérées par un cerveau immature. Après tout, le cerveau d'un bébé mesure à peine la moitié du cerveau d'un adulte, et la plupart des petites parties manquantes sont celles qui fournissent l'infrastructure complexe (mémoire, contrôle neurologique, accès aux informations), qui permet de comprendre un mot prononcé par autrui et de le reproduire.

Un long apprentissage

Cela ne veut pas dire que les enfants prennent leur temps avant d'entreprendre ce long apprentissage qu'est le langage. Ils commencent dès leur plus jeune âge. C'est la perception et non la production du langage qui émerge en premier. Dans une étude menée dans les années 70, deux chercheurs ont filmé des nouveau-nés alors qu'ils écoutaient différents sons. Lorsqu'ils ont ensuite analysé, séquence par séquence, la réaction des bébés auxquels on parlait, les scientifiques ont découvert que les bébés bougeaient de façon synchrone au rythme des paroles qu'ils entendaient. Les chercheurs ne s'attendaient pas à un tel constat, et ce, même s'ils étaient parfaitement conscients que les bébés entendent la voix de leur mère dans l'utérus et que les humains ont un besoin inné de bouger au son des rythmes.

Un bébé qui remue les jambes et qui s'étire dans le liquide amniotique dès qu'il entend le son de la voix de sa mère réagira probablement lorsqu'il entendra des personnes parler autour de son berceau. Le bébé ne répond pas aux voix qu'il entend uniquement en bougeant au rythme des paroles. Dans un premier temps, il regarde la personne qui parle en face de lui, puis, au fil des semaines, il tourne la tête lorsque le son vient de la droite ou de la gauche.

L'activité respiratoire

Lorsque nous parlons, nous aspirons de l'air que nous relâchons ensuite tout doucement. À d'autres moments, les humains – comme la plupart des créatures – aspirent doucement de l'air qu'ils rejettent très rapidement. Dans les semaines qui suivent sa naissance, le bébé passe du second mode au premier. Vers trois mois, il commence à maîtriser l'activité respiratoire et laryngienne ; ses pleurs ont une tonalité, une fréquence et une intensité différentes selon ce qu'il veut exprimer, et ils changent en fonction des besoins et des sentiments du bébé. Le contrôle de la respiration n'est pas la seule manière dont le bébé se prépare au langage. Dès les toutes premières semaines qui suivent sa naissance, il entame une sorte de rituel avec la personne qui s'occupe de lui. Lorsque vous lui posez une question, il vous regarde attentivement et bouge les lèvres comme pour vous répondre. Vous lui faites un sourire, il vous sourit en retour. Vous lui posez une question et vous tirez la langue, il tire la langue également. Lorsque vous parlez à votre enfant, laissez-lui toujours le temps de répondre sous peine de le voir détourner son attention et ne plus s'intéresser à vous. Exemple d'un « dialogue » mère-enfant :

La mère   *Tu as bien dormi ?*

Bébé   Regarde avec attention sa mère alors qu'elle a fini de parler.

La mère   *Alors, tu as bien dormi ?*

Bébé   Regarde sa mère et s'agite.

La mère   *Oui, tu as bien dormi.*

Une communication limitée

Même s'il répond à son interlocuteur et s'il possède la structure pour converser, la capacité d'un nourrisson à communiquer se limite à quelques expressions du visage et à une gestuelle qui s'accompagnent de différents sons, y compris des pleurs et des babillages selon ce qu'il veut exprimer (la faim, la joie, le mal-être, etc.). Alors que viennent s'ajouter à son répertoire les sourires et les autres expressions du visage, la manière dont se comporte votre bébé est toujours liée à la manière dont vous vous comportez avec lui – il n'essaie pas de vous faire partager ses expériences. Il agit comme vous agissez.

Vous le regardez, il vous regarde. Ce n'est que vers 12 mois que votre bébé essaie de vous faire partager ce qu'il vit, c'est-à-dire lorsqu'il commence à pointer du doigt ce qu'il veut vous montrer, qu'il fait certains gestes pour vous faire comprendre qu'il veut aller dans vos bras et lorsqu'il commence à vous observer pour voir comment vous réagissez dans certaines situations. Ce qu'il ressent ainsi que la manière dont il agit dépendent de votre comportement à vous. Il est effrayé *parce que* vous montrez que vous avez peur ; il est malheureux *parce que* vous êtes triste. C'est à ce stade que l'on peut vraiment parler de communication. Le questionnaire ci-dessous étudie les signes précurseurs du langage et vous permet d'évaluer où en est rendu votre bébé sur le plan de la communication.

Comportement calqué sur le vôtre ou partage des expériences?

Le test évalue principalement la *référenciation* sociale, c'est-à-dire le repérage social, mais également d'autres comportements, notamment la mobilité, qui sont intimement liés. Vers sept mois, les enfants se tournent vers les personnes qui s'occupent d'eux afin de savoir ce qu'ils sont supposés faire ou ressentir dans une situation donnée, surtout si celle-ci est nouvelle ou inhabituelle. La *référenciation* sociale se développe plus tôt chez les enfants capables de se déplacer seuls. Les sourires et le babillage des tout-petits sont une forme de communication plus rudimentaire que la *référenciation* sociale. Les sourires et le babillage sont les premiers modes de communication qui permettent aux bébés d'exprimer ce qu'ils ressentent et de partager leurs expériences. Y aurait-il une autre raison à ce qu'ils veuillent parler?

La *référenciation* sociale aide les enfants à associer des mots à des objets. Dans la mesure où nous avons tendance à regarder (et à montrer du doigt) les choses dont nous parlons, les enfants qui regardent là où nous regardons ont une vague idée de ce que veulent dire les mots que nous utilisons. Lorsque nous regardons un chat et que nous disons «Regarde le chat», la manière dont nous accentuons les mots «Regarde» et «chat» indique à l'enfant que ces mots sont importants. Si nous marquons une pause après le mot «Regarde» et attendons que son regard se porte sur le chat avant de dire «chat» − ce que les parents font tout naturellement −, il entend le mot «chat» alors qu'il le regarde et il sait alors à quoi ce mot correspond. C'est le fait d'apposer un mot à l'image d'un objet qui va permettre à l'enfant de connaître la signification exacte des mots. Cela lui est d'autant plus facile que, naturellement, l'enfant a tendance à tout généraliser. Par exemple, pour lui, tout ce qui est petit est un bébé et tous les hommes sont des papas. Il saisit un mot dont il a une compréhension approximative, et c'est à force d'utiliser ce mot qu'il réussira à en affiner sa compréhension.

Même si les racines du langage se trouvent dans la façon dont l'enfant communique entre 6 et 12 mois, c'est entre l'âge de un an et trois ans que le langage prend véritablement forme. Entre un an et deux ans, il ne prononce qu'un mot pour faire passer un message (ou fait un geste qu'il accompagne d'un mot), et ce n'est qu'à partir de deux ans qu'il utilise des phrases composées de deux mots. Le questionnaire ci-dessous vous permet de découvrir les premières étapes de l'élaboration des phrases.

1. Si vous et votre enfant regardez ensemble dans un miroir :
a) il sourit et « parle » à vos reflets ; ○
b) il sourit et tapote sur le miroir. ○

2. Si vous montrez à votre enfant quelque chose à l'autre bout de la pièce :
a) il regarde votre doigt ; ○
b) il regarde ce que vous lui montrez. ○

3. Si vous jouez avec votre bébé en le regardant dans les yeux et que vous tournez la tête :
a) il regarde votre visage ; ○
b) il suit votre regard. ○

4. Si vous prenez un hochet pour attirer son attention :
a) il regarde entre le hochet et sa main qu'il tend pour l'attraper ; ○
b) il regarde entre votre main et le hochet avant de le prendre et après l'avoir saisi. ○

5. Si quelque chose de nouveau se produit, votre bébé :

a) répond de manière prévisible (selon son tempérament)
en acceptant et en refusant ce qui arrive ; ○

b) vous observe et accepte ce qui se passe si vous l'acceptez,
ou le refuse si vous le refusez. ○

6. Si vous quittez la pièce :

a) il continue à jouer comme si de rien n'était ; ○

b) il vous suit s'il le peut ou manifeste son mécontentement
dans le cas contraire. ○

7. Si vous le confiez à une tierce personne pendant que vous préparez un café :

a) il est content ; ○

b) il est affolé. ○

8. Lorsqu'il joue :

a) il lève la tête lorsque vous l'appelez ; ○

b) il lève régulièrement la tête pour voir où vous êtes,
même si vous ne l'appelez pas. ○

9. Si vous confiez votre bébé à une nouvelle gardienne :

a) il ne semble aucunement perturbé ; ○

b) il proteste et pleure dès que vous partez. ○

10. Si votre bébé laisse tomber un jouet de sa chaise haute :

a) il n'y prête aucune attention et prend un autre jouet ; ○

b) il regarde le jouet, puis vous regarde comme pour vous
demander de le ramasser. ○

11. Votre enfant se déplace-t-il seul ?

a) Oui. ○

b) Non. ○

12. Votre enfant babille-t-il?

a) Non. ◯

b) Oui. ◯

13. Votre enfant émet des sons particuliers lorsqu'il veut attirer votre attention.

a) Non. ◯

b) Oui. ◯

14. Votre bébé tend les bras pour que vous le preniez.

a) Non. ◯

b) Oui. ◯

15. Votre bébé détourne la tête lorsqu'il ne veut pas manger.

a) Non. ◯

b) Oui. ◯

16. Est-ce que votre bébé:

a) fait du bruit lorsque vous lui parlez? ◯

b) essaie de reproduire les mêmes bruits que vous? ◯

17. Est-ce que votre bébé:

a) babille et émet des sons gutturaux quand il est content? ◯

b) répète plusieurs fois une même syllabe « da-da-da » ou « ma-ma-ma », notamment lorsque vous l'y encouragez? ◯

18. Votre bébé répond-il lorsque vous prononcez son prénom?

a) Non. ◯

b) Oui. ◯

19. Si vous jouez à «Coucou!

a) il rit; ◯

b) il veut jouer aussi. ◯

20. Si un jouet est hors de sa portée :

a) il essaie de l'attraper ; ◯

b) il essaie de vous faire comprendre qu'il veut que vous
le lui donniez. ◯

Interprétation des résultats

❑ **Une majorité de *a* chez les enfants de moins de six mois**
Votre enfant est à un stade où les joies et les émotions sont
partagées dans des relations intimes de parent à enfant. Selon
ce qu'il ressent, ses expressions changent. Ses sourires et ses
froncements de sourcils, ses regards surpris ou apeurés sont
l'expression de ce qu'il ressent et non une manière de les
communiquer à l'adulte. La manière dont il exprime ses
émotions et la manière dont vous les percevez ne compte que
pour un instant « T ». Le bébé est incapable d'exprimer ce qu'il
ressentait 10 minutes plus tôt ou ce qu'il éprouvera 10 minutes
plus tard – ce que les êtres doués de paroles peuvent faire. À
ce stade, les interactions entre votre bébé et vous-même se
produisent et persistent tant que vous avez un contrôle sur
elles. Votre bébé peut en être l'initiateur, mais il cessera si vous
ne faites pas l'effort de continuer.

❑ **Un mélange de *a* et de *b* chez les enfants entre six et huit mois**
Votre enfant commence à partager ses émotions et ce qu'il
comprend des relations entre lui et son entourage, les jouets
et autres objets qui sont dans son champ de vision. Il commence à exprimer ses besoins – « Prends-moi dans tes bras »
ou « Recommence ce que tu viens de faire » – et ne fait plus
que constater ce qui est.

❑ **Une majorité de *b* chez les enfants de 8 à 12 mois**
Votre enfant commence à partager ses expériences et ses émotions avec les personnes qui s'occupent de lui et à se référer à celles-ci pour guider ses actions et ses émotions. À ce stade, s'il arrive à attraper un jouet, il se tourne vers vous pour avoir votre approbation. Votre bébé commence à prendre conscience que l'expérience se partage, et il commence à communiquer ses besoins et à vous montrer ce qui l'intéresse : « Prends-moi dans tes bras », « Non, je ne veux plus manger », « Regarde le chat sur le mur ».

V Test du langage chez les enfants de 10 à 28 mois

1. Est-ce que votre enfant :
a) fait des vocalises pour attirer votre attention lorsqu'il veut quelque chose ? ◯
b) dit « encore » ou vous le fait comprendre d'une manière ou d'une autre ? ◯
c) demande clairement ce qu'il veut en utilisant une phrase du type « Encore lait » ? ◯

2. Est-ce que votre enfant :
a) fait au revoir de la main à quelqu'un lorsque vous le lui demandez ? ◯
b) dit « Au revoir » quand vous l'y encouragez ? ◯
c) dit « Au revoir, papa » ou « Papa parti » lorsque son père s'en va ? ◯

3. Est-ce que votre enfant :

a) montre du doigt un objet lorsque vous lui demandez
où il se trouve ? ○

b) vous montre qu'il comprend la signification de « Donne-
moi », « Montre-moi » ou « Où est… ? » ○

c) vous emmène dans une autre pièce pour vous montrer
où se trouve quelque chose après que vous lui ayez
demandé « Où est ton… ? » ○

4. Est-ce que votre enfant :

a) reproduit les sons émis par un animal, voire plusieurs,
par exemple « Meuh ! Meuh ! » ou « Ouaf ! Ouaf ! » quand
il voit une vache ou un chien en vrai, en jouet ou sur une
image ? ○

b) vous montre du doigt les animaux sur les pages de son
livre quand vous lui demandez « Où sont… ? » ○

c) peut nommer tous les animaux figurant dans son livre ? ○

5. Est-ce votre enfant :

a) fait des vocalises quand il entend de la musique ? ○

b) refait des gestes qui font rire son entourage ? ○

c) mime des gestes et répète le dernier mot de chacune
des phrases d'une comptine qui lui est familière ? ○

6. Est-ce que votre enfant :

a) utilise au moins un mot ayant une signification, même
si la prononciation n'est pas tout à fait correcte ? ○

b) utilise 50 mots ou plus ? ○

c) utilise 200 mots ou plus ? ○

7. Est-ce que votre enfant :

a) baragouine, c'est-à-dire produit des sons sans
signification, mais avec des intonations différentes ? ○

b) baragouine, mais en utilisant des mots qui ont une
signification au milieu d'un charabia? ◯

c) associe un nom et un adjectif (gros ballon) ou
un nom et un verbe (donne-moi)? ◯

8. Est-ce que votre enfant:

a) répond à une question en faisant un geste approprié;
par exemple, lève les bras lorsque vous lui demandez
«Es-tu un grand garçon?» ◯

b) montre du doigt 12 objets au fur et à mesure que
vous les nommez? ◯

c) mime cinq actions lorsque vous le lui demandez;
par exemple, saute lorsque vous lui dites «Saute»? ◯

**9. Lorsque votre enfant est assis sur vos genoux avec un livre
ou qu'il veut que vous lui racontiez une histoire:**

a) il regarde les images, mais veut tourner les pages sans
attendre; ◯

b) il vous tend un livre lorsqu'il veut que vous lui lisiez
une histoire; ◯

c) il écoute attentivement une histoire simple qui traite
de la vie de tous les jours. ◯

10. Est-ce que votre enfant:

a) rit, glousse et pousse des petits cris perçants lorsqu'il
joue? ◯

b) «parle», baragouine et fait du bruit avec ses jouets? ◯

c) dit à ses jouets ce qu'ils doivent faire; par exemple, dit
«Dors» à son nounours en le couchant? ◯

11. Est-ce que votre enfant :

a) vous tend les bras lorsque vous l'appelez par son prénom pour que vous le portiez ? ◯

b) dit son prénom lorsque vous lui demandez « Qui est mon petit garçon ? » ou « Qui est ma petite fille ? » ◯

c) donne tous les prénoms des membres de la famille et le nom de vos animaux domestiques quand vous lui demandez « Qui est-ce ? » (y compris lorsque vous lui montrez des photographies) ? ◯

12. Est-ce que votre enfant :

a) associe au moins deux syllabes lorsque vous jouez avec lui ? ◯

b) associe deux mots ; par exemple, « Papa, chaussure » ? ◯

c) associe trois mots ; par exemple, « Papa, grande, chaussure » ? ◯

13. Est-ce que votre enfant :

a) montre du doigt ou bouge la partie du corps que vous lui demandez de vous montrer ; par exemple, tend son pied lorsque vous lui dites « Où est le pied de Pierre ? » ou « Où est le pied de Mélodie ? » ◯

b) se montre du doigt lorsque vous lui demandez « Où est Mélodie/Pierre ? » ◯

c) montre du doigt un objet approprié ? Par exemple, montre la serpillière lorsque vous lui demandez « Avec quoi lave-t-on le sol ? » ou la tasse lorsque vous lui demandez « Dans quoi boit-on du thé ? ». ◯

14. Est-ce que votre enfant :

a) regarde ou montre du doigt des objets familiers que vous nommez ? ◯

b) donne le nom de 12 objets familiers que vous désignez du doigt dans son livre? ◯

c) montre des détails dans un livre qu'il regarde souvent, par exemple «La souris qui se cache» ou «La fleur rouge». ◯

15. Est-ce que votre enfant:

a) exécute certains ordres lorsque vous les accompagnez d'un geste, par exemple «Donne-moi un gâteau» en montrant la boîte à biscuits? ◯

b) reproduit certains gestes qu'il a l'habitude de vous voir faire, par exemple, taper avec un marteau ou essuyer la poussière? ◯

c) refait des gestes que vous lui avez montrés précédemment, comme mettre sa poupée au lit? ◯

16. Est-ce que votre enfant:

a) s'arrête lorsque vous lui dites «Non» ou obéit au moins trois fois sur quatre? ◯

b) dit «Non» lorsqu'il est sur le point toucher quelque chose qu'il n'a pas le droit de toucher ou dit «Chaud» quand il s'approche du radiateur? ◯

c) refuse parfois de vous obéir lorsque vous lui demandez de faire quelque chose ou pique une colère lorsque vous lui interdisez de faire quelque chose? ◯

17. Est-ce que votre enfant:

a) regarde les différentes personnes qui prennent la parole autour de lui? ◯

b) tire votre chandail lorsqu'il veut vous montrer quelque chose? ◯

c) répond aux questions et prend part à une conversation entre les membres de la famille et/ou les amis? ◯

18. Est-ce que votre enfant:

a)   secoue la tête pour dire « Non » ?   ◯

b)   dit « Non » lorsque vous lui demandez « Veux-tu… ? »   ◯

c)   dit « S'il te plaît » et « Merci » quand vous le lui rappelez ?   ◯

19. Est-ce que votre enfant:

a)   regarde son père lorsque vous lui demandez « Où est papa ? »   ◯

b)   dit « Là » ou « Papa » quand vous lui demandez « Où est papa ? »   ◯

c)   explique en deux mots où se trouve son père lorsque vous le lui demandez « Papa parti ? » ou « Papa voiture ? »   ◯

20. Est-ce que votre enfant:

a)   imite vos gestes, par exemple tape dans ses mains lorsque vous jouez avec lui ?   ◯

b)   fait spontanément un geste – montre du doigt ou frappe dans ses mains – et ne se contente pas de vous imiter ?   ◯

c)   fait semblant de verser du thé dans une tasse, de préparer à dîner ou de mettre sa poupée au lit ?   ◯

Interprétation des résultats

❏   **Une majorité de *a* chez les enfants entre 10 et 14 mois**
Votre enfant commence à comprendre qu'il peut communiquer et que la communication ne se limite pas à une relation entre deux personnes seulement. Il commence intentionnellement à partager ses émotions et à communiquer avec des gestes et des sons. À ce stade, les mots ne sont souvent que des sons répétés ; par exemple, « miam miam » pour désigner de la nourriture ou « meuh meuh » pour désigner une vache.

❑ **Un mélange de *a* et de *b* chez les enfants entre 12 et 18 mois**
Votre enfant commence à utiliser des mots. Il continue probablement à utiliser une suite de syllabes, par exemple «ouaf, ouaf» pour désigner un chien ou «broum, broum» pour une voiture, mais utilise également de «vrais» mots. Il ne prononce pas toujours la fin des mots courts et, par exemple, dit «boi» pour «boire». Il répète la première syllabe des mots plus longs, par exemple «momo» pour «mobylette». Il produit parfois deux sons mais écorche le mot et ne prononce pas la dernière syllabe: «tuyè» pour «cuillère» ou «atu» pour «voiture». Il vous réserve de bonnes surprises avec les mots les plus difficiles; par exemple, «zérin» pour «raisin», «combimemaison» pour «combinaison» ou «oroveiller» pour «oreiller».

❑ **Une majorité de *b* chez les enfants entre 16 et 20 mois**
En moyenne, un enfant de 18 mois a environ 50 mots à son répertoire et en comprend à peu près 500. Il répète de moins en moins une même syllabe et prononce la dernière syllabe des mots les plus courants, ce qui facilite la compréhension. Il dit encore très certainement «Meuh, meuh» pour les vaches et omet de prononcer la fin de nombreux mots. «Boi» peut vouloir dire *boire* ou *boîte* selon le contexte. À vous de faire preuve de discernement.

❑ **Un mélange de *b* et de *c* chez les enfants entre 20 et 24 mois**
Vers l'âge de deux ans, votre enfant a probablement quelque 200 ou 300 mots à son répertoire et forme quelques phrases dans le style télégraphique (stade syntaxique). Il comprend environ 2 000 mots.

❏ **Une majorité de *c* chez les enfants entre 24 et 30 mois**

Vers l'âge de 30 mois, un enfant dit entre 300 et 600 mots et en comprend entre 3 000 et 6 000. Il fait des phrases de deux ou trois mots avec une construction grammaticale, même si ce n'est pas toujours dans les règles de l'art. Les déterminants « un », « une », « le », « la » sont souvent absents des phrases, le temps de verbe n'est pas toujours le bon et les pluriels sont fantaisistes.

Comment les enfants apprennent à parler

Principe n° 1 : le *fast mapping* – un test simple à réaliser

Au cours des 12 mois qui suivent son premier mot, l'enfant apprend à dire plus de cent mots alors qu'il en comprend plus de mille, et je ne parle pas d'enfants prodiges, mais d'enfants tout à fait « normaux ». Mais comment peut-on expliquer une évolution aussi rapide ? La réponse repose sur un certain nombre de principes qu'il est intéressant de tester sur ses enfants.

Le principe n° 1 est le *fast mapping*. Combien de temps nécessite un enfant pour inclure un nouveau mot dans son vocabulaire ? Ce principe a été élaboré par Bartlett et Casey. Les deux chercheurs ont montré à des enfants la couleur vert-olive qui, pour certains enfants, était du vert, et pour d'autres, du marron. Les chercheurs ont alors décidé d'utiliser le terme « chromé ». Bartlett et Casey ont rapidement découvert que les enfants ne savaient pas dire quelle était exactement la couleur qui leur était montrée. Ils ont ensuite peint deux objets en vert-olive et ont demandé à un enfant de leur apporter les deux pots de couleur chromée. Afin que tout soit parfaitement clair, ils ont précisé qu'ils ne voulaient ni le pot bleu ni le pot rouge, mais les pots de couleur chromée. Non seulement tous les enfants soumis au test ont appris le nom de la couleur, mais, une semaine plus tard, les trois quarts d'entre eux s'en souvenaient et six semaines plus tard, nombre d'entre eux ne l'avaient toujours pas oublié.

L'expérience ci-après vous permet de savoir comment tester le principe du *fast mapping* chez un enfant à partir de 15 mois.

- Montrez à votre enfant des photographies d'oiseaux de races différentes, puis prenez une image et prononcez le nom de l'oiseau. Par exemple, prenez la photographie d'un cormoran et répétez plusieurs fois le nom de l'oiseau. Puis, remettez la photographie parmi les autres et demandez à votre enfant de vous montrer le cormoran. Reposez-lui la question quelques jours plus tard et voyez s'il s'en souvient ou s'il l'a oublié.

Principe n° 2 : le *motherese*

Le *motherese* est le nom donné au langage (mots et mode d'expression) que les parents utilisent lorsqu'ils s'adressent à des enfants qui ne savent pas encore parler. Le registre de voix est plus haut que la normale et s'accompagne, généralement, d'expressions faciales exagérées, de gestes et de postures visant à attirer l'attention du bébé. Le test ci-dessous doit permettre aux parents d'évaluer à quel point ils utilisent ce langage. Observez le comportement du parent lorsqu'il s'adresse à son bébé, puis faites le test ci-dessous.

1. Lorsqu'il s'adresse à votre enfant, votre conjoint a-t-il une voix plus haut perchée ?

a) Oui. ◯

b) Non. ◯

2. Lorsqu'il s'adresse à votre enfant, votre conjoint modifie-t-il les intonations de sa voix?

a) Oui.   ◯

b) Non.   ◯

3. Lorsqu'il s'adresse à votre enfant, votre conjoint articule-t-il plus que d'habitude?

a) Oui.   ◯

b) Non.   ◯

4. Lorsqu'il s'adresse à votre enfant, votre conjoint parle-t-il plus lentement?

a) Oui.   ◯

b) Non.   ◯

5. Lorsqu'il s'adresse à votre enfant, votre conjoint marque-t-il plus de pauses?

a) Oui.   ◯

b) Non.   ◯

6. Lorsqu'il s'adresse à votre enfant, votre conjoint utilise-t-il des phrases plus courtes?

a) Oui.   ◯

b) Non.   ◯

7. Lorsqu'il s'adresse à votre enfant, votre conjoint utilise-t-il toujours le même style de phrase?

a) Oui.   ◯

b) Non.   ◯

8. Lorsqu'il s'adresse à votre enfant, votre conjoint utilise-t-il des phrases parfaitement structurées?

a) Oui.   ◯

b) Non.   ◯

9. **Lorsqu'il s'adresse à votre enfant, votre conjoint répète-t-il tout ou une partie de ce que dit votre enfant ?**

a) Oui. ○

b) Non. ○

10. **Lorsqu'il s'adresse à votre enfant, votre conjoint répète-t-il ce que dit votre enfant en prononçant correctement la fin des mots et en complétant ses phrases ?**

a) Oui. ○

b) Non. ○

11. **Lorsqu'il s'adresse à votre enfant, votre conjoint utilise-t-il moins de mots familiers ou d'expressions argotiques que s'il s'adressait à un adulte ?**

a) Oui. ○

b) Non. ○

12. **Lorsqu'il s'adresse à votre enfant, votre conjoint utilise-t-il des phrases simples sur le plan grammatical, sans pour autant que soit altéré le sens de la phrase ?**

a) Oui. ○

b) Non. ○

13. **Lorsqu'il s'adresse à votre enfant, votre conjoint utilise-t-il un langage simple et peu varié ?**

a) Oui. ○

b) Non. ○

14. **Lorsqu'il s'adresse à votre enfant, votre conjoint utilise-t-il des mots spéciaux ou des diminutifs ?**

a) Oui. ○

b) Non. ○

15. Lorsqu'il s'adresse à votre enfant, votre conjoint attire-t-il son attention sur des objets et fait-il référence au moment et au lieu présents?

a) Oui. ◯

b) Non. ◯

16. Lorsqu'il s'adresse à votre enfant, votre conjoint est-il directif?

a) Oui. ◯

b) Non. ◯

17. Lorsqu'il s'adresse à votre enfant, votre conjoint utilise-t-il davantage le mode impératif qu'il le fait habituellement et pose-t-il plus de questions?

a) Oui. ◯

b) Non. ◯

18. Lorsqu'il s'adresse à votre enfant, votre conjoint le regarde-t-il droit dans les yeux?

a) Oui. ◯

b) Non. ◯

19. Lorsqu'il dit quelque chose d'important à votre enfant, votre conjoint se met-il à sa hauteur et le regarde-t-il droit dans les yeux?

a) Oui. ◯

b) Non. ◯

20. Lorsqu'il s'adresse à votre enfant, votre conjoint fait-il plus de gestes qu'habituellement?

a) Oui. ◯

b) Non. ◯

Interprétation des résultats

❏ **Une majorité de *a***

Félicitations ! Votre conjoint maîtrise presque parfaitement le langage *motherese.*

❏ **Une majorité de *b***

Votre conjoint a encore des efforts à faire. Il doit essayer de se mettre à la portée de son enfant et de le regarder droit dans les yeux lorsqu'il lui parle. Il verra l'expression de son visage et saura s'il a du mal à comprendre ce qu'il lui dit.

Motherese est le nom donné à un langage simplifié que les parents utilisent pour parler aux jeunes enfants afin qu'ils apprennent à s'exprimer. Le registre de la voix est plus élevé que la normale (les enfants perçoivent mieux les aigus). Les idées sont exprimées à travers des phrases simples. Les parents peuvent également modifier leur façon de parler en fonction de la capacité de compréhension de leur enfant. Par exemple, si leur enfant ne semble pas comprendre lorsqu'ils lui disent «Va chercher ton manteau rouge», ils diront plutôt « Le manteau rouge. Non, pas celui-ci. Le rouge, celui qui est là-bas ». Par ailleurs, les parents complètent les phrases de leur enfant. Si l'enfant dit «boi», sa mère ou son père lui diront «Oui, la BOÎTE». S'il dit «Papa travail», sa mère reprendra en disant : « Oui, PAPA est au TRAVAIL. PAPA est parti au TRAVAIL. Il va bientôt rentrer ».

Principe n° 3 : pas trop grand, pas trop petit, juste bien

On dit que les mots que les enfants apprennent en premier sont conformes à la règle du «pas trop grand, pas trop petit, juste bien». L'adjectif «grand» ne qualifie pas le mot en lui-même, mais la catégorie à laquelle appartient l'objet dont le nom est donné. Or, les enfants semblent enregistrer plus facilement certains mots. Non pas le nom d'une catégorie ou d'une famille aussi vaste ou grande que « animal » ou aussi restrictive ou petite que « colley », mais un nom plus approprié, juste bien comme « chien ». Faites le test suivant : écrivez les 30 premiers mots utilisés par votre enfant, puis classez-les en trois catégories distinctes.

- Le nom de la catégorie : animaux, végétaux, transports, habitats, boissons, nourriture.
- Le nom générique : chien, fleur, voiture, maison, jus de fruit, gâteau.
- Le nom subalterne : colley, marguerite, jeep, bungalow, pomme, muffin.

Vous vous apercevrez probablement que votre enfant utilise quelques noms de catégorie, très peu de noms subalternes, mais principalement des noms génériques.

X Mode d'acquisition du langage de votre enfant

Notez les 100 premiers mots et suites de mots que votre enfant a appris. On appelle « suite de mots » des mots que l'enfant colle les uns aux autres et qui semblent ne former qu'un seul mot, par exemple, « donne-moi », « grande-fille » ou « fais-ça ».

1. Votre enfant s'exprime-t-il clairement ?
a) Oui, parfaitement. ◯
b) Ce qu'il dit est souvent difficile à comprendre. ◯

2. Quelle est la proportion de noms et d'adjectifs qu'il utilise ?

a) Élevée : plus de 60 %.   ◯

b) Faible : moins de 60 %.   ◯

3. À quelle allure votre enfant acquiert-il du nouveau vocabulaire ?

a) Très rapide avec des progrès remarquables dès l'acquisition du premier mot.   ◯

b) Lentement et progressivement.   ◯

4. Combien de suites de mots votre enfant utilise-t-il ?

a) Seulement quelques-unes au cours de la première année.   ◯

b) Un nombre relativement important au cours de la première année.   ◯

5. Quelle est la proportion de mots liés à une relation avec un tiers ?

a) Très peu.   ◯

b) Beaucoup.   ◯

6. Votre enfant montre t-il souvent les choses du doigt ?

a) Fréquemment.   ◯

b) Jamais ou peu souvent.   ◯

Interprétation des résultats

❏ Une majorité de *a*

Comme la majorité des enfants, votre enfant acquiert du vocabulaire en associant un mot à un objet. Par exemple, lorsqu'il dit les mots « voiture » ou « chien », il fait référence à l'objet ou à l'animal qu'il montre généralement du doigt.

❏ Une majorité de *b*

Votre enfant a un vocabulaire majoritairement constitué de mots marquant sa relation avec les autres, par exemple « oui », « non », « s'il te plaît », et de suites de mots du type « donne-moi », « moi partir » plutôt que de mots isolés (stade holophrastique) tels que « voiture » ou « chat ». À la différence d'un enfant comptabilisant plus de *a*, il fait moins souvent référence à un objet et, par conséquent, montre moins les choses du doigt.

Combien de mots dit un enfant qui sait marcher ?

Plusieurs études tendent à prouver qu'un enfant entre 12 et 18 mois utilise environ 10 mots ou sons intelligibles contre 20 mots ou plus entre 18 et 24 mois, et entre 200 et 300 mots vers l'âge de trois ans ce qui montre une progression très rapide. Il semblerait que l'acquisition du langage soit plus rapide chez les filles que chez les garçons et qu'elle soit légèrement plus lente chez les enfants gauchers que chez les enfants droitiers. De plus, dans les familles comptant plusieurs membres souffrant de dyslexie, il semblerait que les enfants, et plus précisément les garçons, aient plus de mal à acquérir le langage ; plus précisément, leur compréhension est bonne, mais ils mettent plus de temps à reproduire les sons qu'ils entendent. Les troubles de l'audition retardent également les progrès des enfants. Si vous avez le moindre doute, parlez-en à un pédiatre ou à votre médecin traitant.

Chez les enfants prématurés, pour l'acquisition du langage comme pour toutes les autres acquisitions, basez-vous non pas sur l'âge réel des enfants, mais sur l'âge qu'ils devraient avoir s'ils étaient nés *à terme*. Néanmoins, sachez que les enfants ont tôt fait de rattraper le temps perdu. En règle générale, les enfants comprennent 10 fois plus de mots qu'ils n'en prononcent. Chez les enfants les plus précoces, la compréhension et la production de mots sont quasi identiques, alors que chez les enfants présentant un certain retard, la production de mots est légèrement supérieure à la compréhension.

Compter le nombre de mots que votre enfant a acquis est une tâche plutôt fastidieuse. Notez les mots que votre enfant utilise en cinq minutes et refaites cet exercice six fois dans la journée. Multipliez chaque mot utilisé par deux, puis par le nombre d'heures que vous estimez que votre enfant passe à parler. Multipliez le résultat par sept (le nombre de jours dans une semaine) et vous obtiendrez approximativement le nombre de mots acquis par votre enfant.

Un enfant avec peu de vocabulaire tend à répéter plus souvent les mots qu'un enfant ayant davantage de vocabulaire. Précisons qu'entrent en compte tous les dérivés d'un mot, par exemple « chien » et « chienne », « aller » et « va », « mange » et « a mangé ».

Estimation pour les enfants de plus de 30 mois

3 ans	830 mots
3 – 4 ans	1 200 mots
4 ans	1 500 mots
4 – 5 ans	1 800 mots
5 ans	2 000 mots
5 – 6 ans	2 200 mots
6 ans	2 400 mots

Le passage au stade syntaxique

Lorsque l'enfant a acquis entre 100 et 200 mots ou sons intelligibles, il commence à associer plusieurs mots pour former des phrases simples. Chez l'enfant, de la même façon que sa gestuelle a précédé son premier mot, le geste associé au mot précède également la première phrase. L'enfant montre du doigt un chapeau et dit son prénom pour signifier que c'est son chapeau. Il vous arrive encore parfois de ne pas comprendre le message qu'il veut vous faire passer. Si votre fille vous dit « Marie » en montrant son chapeau et que vous lui répondez « Oui, c'est le chapeau de Marie, c'est le tien », elle essaiera de préciser son message en disant « Non. Chapeau », et ce, pour désigner le chapeau qu'en fait elle veut que vous lui donniez. Dès lors que l'enfant remplace le geste par un second mot, il acquiert rapidement la structure syntaxique des phrases. En règle générale, lorsque les enfants utilisent une centaine de mots soit juste un peu avant l'âge de deux ans, ils forment des phrases de deux mots. Cependant, sachez que la rapidité à laquelle les enfants progressent varie d'un enfant à l'autre.

Apparition des premières structures grammaticales

1. Combien votre enfant utilise-t-il de mots ou de sons intelligibles ?

a) 50. ◯
b) Entre 300 et 350. ◯
c) Entre 500 et 600. ◯

2. Votre enfant associe-t-il :

a) un mot et un geste ? ◯

b) deux mots pour former une phrase ? ◯

c) quatre ou cinq mots pour former une phrase ? ◯

3. Votre enfant pose-t-il des questions ?

a) Non. ◯

b) Oui. Avec une intonation ascendante en fin de phrase. ◯

c) Oui. En utilisant des pronoms interrogatifs comme
« où » et « quoi ». ◯

4. Votre enfant exprime-t-il la possession (« La voiture papa ») :

a) en disant « Papa » et en montrant du doigt la voiture
de son père ? ◯

b) en disant « Voiture papa » ? ◯

c) en disant « C'est à papa » ? ◯

5. Votre enfant exprime-t-il une action (« Pierre mange un gâteau »).

a) en disant « mange » ? ◯

b) en disant « Pierre mange » ? ◯

c) en disant « Pierre mange gâteau » ? ◯

6. Votre enfant exprime-t-il son désir (que vous lui lisiez une histoire).

a) en vous apportant son livre et en disant « Livre »
ou « Histoire » ? ◯

b) en vous apportant un livre et en disant « Livre Pierre »
ou « Lis histoire » ? ◯

c) en vous apportant un livre et en disant « Lis-moi une
histoire » ? ◯

7. Votre enfant exprime-t-il une action en la localisant («Aller jouer dehors»).

a) en disant «Dehors»?   ◯

b) en disant «Jouer dehors»?   ◯

c) en disant «Est-ce que je peux jouer dehors?»   ◯

8. Votre enfant qualifie-t-il les objets («C'est un gros ballon»):

a) en disant «Gros»?   ◯

b) en disant «Gros ballon»?   ◯

c) en disant «C'est un gros ballon»?   ◯

9. Votre enfant utilise-t-il les démonstratifs («Cette chaise-là»):

a) en disant «Chaise»?   ◯

b) en disant «Cette chaise-là»?   ◯

c) en disant «Sur cette chaise», «Près de cette chaise», «C'est cette chaise-là»?   ◯

10. Votre enfant exprime-t-il la récurrence («Plus de pommes»):

a) en disant «Encore»?   ◯

b) en disant «Encore pomme»?   ◯

c) en disant «Encore une pomme»?   ◯

Interprétation des résultats

❏ Une majorité de *a*

Votre enfant a très certainement moins de 18 mois et comme la plupart des enfants de cet âge, il n'a pas encore dépassé le stade holophrastique, c'est-à-dire l'association d'un geste et d'un mot ou d'un son pour exprimer une idée. Même s'il a du mal à s'exprimer clairement, il sait parfaitement ce qu'il veut dire. Généralement, les parents reprennent et complètent ce qu'essaie d'exprimer leur enfant par le mot et le geste. Par exemple, si un enfant montre du doigt une pomme et dit «Encore», son père et sa mère lui demandent «Tu veux une autre pomme?» ou «Oui, il y a d'autres pommes dans le compotier». Si les parents interprètent mal ce que veut dire l'enfant, il insiste en disant «Non, encore»! ou secoue la tête en disant «Encore». Les parents proposent alors une autre interprétation, et ainsi de suite, jusqu'à ce qu'ils expriment le message que veut faire passer leur enfant.

❏ **Une majorité de *b***
Votre enfant ne doit pas être loin de ses deux ans et, pour se faire comprendre, il utilise un geste associé à deux mots, principalement des noms communs ou des noms propres, mais très peu de verbes: «Au revoir», «À bientôt», «Donne-moi», «Papa parti», «Maman travail».

❏ **Une majorité de *c***
Votre enfant a très certainement entre deux et trois ans et il commence à utiliser différentes structures grammaticales. Jusqu'à l'âge de six ans, il apprendra à maîtriser les règles subtiles de la grammaire.

Des structures grammaticales plus élaborées

Plus les enfants associent de mots pour former des phrases longues et complètes, plus ils découvrent la complexité de certaines structures grammaticales, à savoir des structures grammaticales totalement absentes des phrases composées de deux mots. Que l'enfant soit en avance ou non, les structures grammaticales apparaissent presque toujours dans le même ordre. Dans la liste ci-dessous, mettez une croix si votre enfant:

a) exprime une action au moment où elle se déroule : « Je bois », « Julie saute » ou « Chat dort » ;   ◯

b) fait référence à un contenant : « Dans tiroir » ou « Dans boîte » ;   ◯

c) fait référence à un support : « Sur table » ou « Sur lit » ;   ◯

d) exprime un nombre : « Deux chaussures », « Trois chaises » ;   ◯

e) utilise un verbe dans sa forme complète : « Je suis allé » ;   ◯

f) exprime une action passée : « J'ai mangé » ;   ◯

g) exprime la possession : « Chapeau Marie » ou « Chaussures Marc » ;   ◯

h) utilise les déterminants « un », « une », « le », « la » : « Le chien » ou « Une poupée » ;   ◯

i) exprime les généralités : « Il pleut », « Il fait chaud » ;   ◯

j) utilise la troisième personne du singulier (forme régulière) : « Il dort », « Elle parle » ;   ◯

k) utilise la troisième personne du singulier (forme irrégulière) : « Il va », « Elle s'assied » ;   ◯

l) utilise la forme pronominale : « Je me lave » ou « Il se promène » ;   ◯

m) exprime une action présente (être en train de) : « Papa est en train de réparer la voiture » ;   ◯

n) utilise différents temps du passé : « Je chantais » ou « J'ai fini ».   ◯

Que sait votre enfant au sujet des règles grammaticales ?

Ce n'est pas parce qu'un enfant dit « Deux nounours » qu'il sait exprimer le pluriel. Dans un premier temps, l'enfant utilise un nombre (marque du pluriel) accompagné d'un nom au singulier : « deux cheval ». La première marque de pluriel et la première liaison maîtrisées par les enfants entre le déterminant et le nom : « des abricots », « des oiseaux ».

Par ailleurs, un enfant utilise le plus souvent une forme grammaticale élaborée ; par exemple, un temps du passé, par pure imitation. S'il dit « Ce matin, Mélodie a pleuré », c'est parce qu'il vous a entendu le dire. Certaines erreurs commises ne sont pas dues à une imitation, mais à une certaine logique qu'il ne fait que suivre : « J'ai peindu ».

Les pluriels

Pour les enfants francophones, l'acquisition formelle des pluriels est plus tardive que pour les enfants anglophones (trois ans contre deux ans). En français, le pluriel régulier est en « s ». Or, le « s » ne se prononce pas, pas plus que l'accord verbal « joue/jouent », « mange/mangent ». Pour ce qui est des adjectifs, le français indique souvent la pluralité par une liaison : « un arbre/ des arbres ». Le pluriel est également indiqué par les déterminants : « un » et « une » se pluralisent en « des », « le » et « la » en « les », « du » et « de la » en « des », et « au » et « à la » en « aux ». Or des études ont montré que les enfants francophones, de deux ans jusqu'à sept ans voire plus, emploient « de les » au lieu de « des », et « à les » au lieu de « aux ». Par exemple : « Les nounours à les enfants ». Les pluriels des adjectifs possessifs « mes », « tes », « ses » s'acquièrent à peu près au même âge, tout comme les pluriels irréguliers de certaines formes nominales et verbales. Par exemple : « cheval-chevaux » et « dort-dorment ».

Les temps du passé

L'enfant n'utilise les temps du passé que lorsqu'il a acquis des repères temporels tels que « hier », « avant ». Encouragez-le en lui posant des questions sur ce qu'il a fait et sur ce qui s'est passé avant l'instant présent. Dans un premier temps, l'enfant répond en mettant le verbe au présent : «Hier, Pierre pleure.» Puis, il utilise le participe passé : «Hier, Pierre pleuré.» Et ce n'est que plus tard qu'il utilise l'auxiliaire : «Hier, Pierre a pleuré.» Les choses se compliquent avec la distinction entre les auxiliaires «être» et «avoir» : «Hier, j'ai mangé», mais «Hier, je me suis promené».

Dix petits trucs pour aider votre enfant

1. Parlez-lui le plus souvent possible, et ce, même s'il est trop petit pour comprendre tout ce que vous lui dites. Il enrichit son vocabulaire et enregistre les bonnes structures grammaticales.

2. Laissez-lui le temps de répondre à vos questions, et ce, même s'il est trop jeune pour formuler une réponse.

3. Écoutez-le. Ne le coupez pas pour passer à un autre sujet.

4. Mettez-vous à son niveau. Si possible, mettez-vous à sa hauteur et parlez-lui en le regardant dans les yeux.

5. Mettez-vous à table avec lui et mangez en même temps que lui afin de favoriser les échanges.

6. Complétez et clarifiez ce qu'il dit.

7. Mettez en pratique le *motherese* (voir page 108).

8. Prenez le temps de parler de tout et de rien avec lui.

9. Racontez-lui des histoires. Très vite, il aura envie d'en raconter lui aussi.

10. Privilégiez les rimes et les rythmes qui lui permettront d'entendre les petits mots. Avoir une bonne notion du rythme de la phrase facilite l'apprentissage de la lecture.

Chapitre 4

Test de la connaissance de soi et des autres

Comprendre qui il est

À la naissance, un bébé ne sait pas où s'arrête son corps et où commence le reste du monde. Mais comment pourrait-il en être autrement ? Dans l'utérus, le fœtus évolue dans un environnement où la lumière est tamisée et où les bruits sont atténués par le liquide amniotique, un environnement stable qui change peu. Le bébé sent le liquide amniotique autour de lui et les parois de l'utérus. Il entend en permanence le cœur de sa mère et le bruit du sang qui circule. Jusqu'au moment où le bébé naît, il est en quelque sorte l'extension du corps de sa mère. Les aliments et l'oxygène lui parviennent à travers le système sanguin et les déchets sont évacués par ce même système. Le bébé perçoit les mouvements de sa mère et le son de sa voix, mais il ne peut ni agir ni contrôler l'un ou l'autre.

Tout change à la naissance. Ce que le bébé voit dépend de l'endroit où il regarde, alors que c'est lui qui maintenant se nourrit et évacue les déchets. Au cours des premiers mois, il découvre que ses mains et ses pieds lui appartiennent, que sa mère approche dès qu'il pleure et qu'elle lui parle dès qu'il lui sourit. Peu à peu, il prend conscience que certaines choses se produisent parce qu'il en est l'initiateur.

B L'enfant découvre qu'il est séparé de sa mère

1. Votre enfant regarde-t-il:

a) si quelqu'un bouge directement dans son champ de vision? ○

b) ET tourne la tête pour suivre le mouvement des yeux? ○

2. Si vous interpellez votre bébé:

a) il vous regarde; ○

b) il écarquille les yeux, incline la tête et fait un large sourire. ○

3. Votre bébé a-t-il déjà ri aux éclats?

a) Non. ○

b) Oui. ○

4. Est-ce que votre bébé:

a) jette un regard sur ses mains lorsqu'elles entrent dans son champ de vision? ○

b) regarde attentivement ses mains lorsqu'elles entrent dans son champ de vision? ○

5. Est-ce que votre bébé:

a) s'agite si son bras touche ou fait bouger un jouet? ○

b) essaie de reproduire une action qui fait bouger quelque chose? ○

6. Est-ce que votre bébé:

a) sourit dans son sommeil? ○

b) vous suit du regard et sourit lorsqu'il voit votre visage? ○

7. Savez-vous interpréter les pleurs de votre bébé? Pleure-t-il volontairement lorsqu'il veut que certaines choses se produisent ou lorsqu'il désire quelque chose?

a) Non. ◯

b) Oui. ◯

8. Est-ce que votre bébé est capable de trouver le sein tout seul?

a) Seulement si vous lui touchez la joue, qu'il ouvre la bouche et se tourne vers vous. ◯

b) Si vous l'y encouragez, mais sans que vous l'aidiez. ◯

9. Si vous mettez un doigt dans chacune de ses mains:

a) il s'agrippe si fort que vous pourriez le soulever; ◯

b) il tient vos doigts, mais pas suffisamment fort pour que vous puissiez le soulever. ◯

10. Lorsqu'il se repose:

a) votre bébé se met dans la position du fœtus; ◯

b) votre bébé écarte grand ses bras et ses jambes. ◯

11. Est-ce que votre bébé tète:

a) uniquement lorsqu'il mange? ◯

b) lorsqu'il mange ET suce son pouce ou sa tétine entre les tétées? ◯

12. Est-ce que votre bébé reproduit des actions qui lui donnent du plaisir; par exemple, suce son pouce, vous sourit ou guette votre sourire et cherche des yeux le mobile accroché au-dessus de son lit?

a) Non. ◯

b) Oui. ◯

Interprétation des résultats

❏ **Une majorité de *a***
Votre bébé a probablement moins de deux mois. Il n'a pas encore pris conscience qu'il est séparé du monde qui l'entoure et qu'il peut avoir une influence sur son environnement.

❏ **Un mélange de *a* et de *b***
Votre enfant a entre six et neuf semaines. Il commence à réaliser où son corps s'arrête et où le reste du monde commence. Également, il prend peu à peu conscience qu'il peut avoir une influence sur le monde qui l'entoure, y compris les personnes qui vivent avec lui.

❏ **Une majorité de *b***
Votre bébé a probablement entre 8 et 12 semaines. Peu à peu, il a découvert qu'il pouvait, dans une certaine mesure, contrôler son corps. Il peut, quand il le décide, diriger son regard, bouger ses mains et toucher des objets, ce qui prouve qu'il sait où son corps s'arrête et où commence le reste du monde.

Expliquer les changements

Celles et ceux qui étudient le développement des enfants disent que le passage de l'étape *a* à l'étape *b* est le premier changement postnatal sociocomportemental ; ce qui veut bien dire ce que cela veut dire, à savoir la première interaction entre le bébé et son environnement et l'apparition d'un comportement intentionnel. Les parents ont plus souvent tendance à dire que leur bébé s'ouvre et commence à sourire, et à être réceptif au monde qui l'entoure. Le cerveau du bébé se développe rapidement. Le nombre des cellules cérébrales dans le cortex du cerveau du bébé (l'épaisse couche externe du cerveau qui contrôle la pensée consciente et l'activité volontaire) augmente ; des connexions s'établissent et diverses structures cérébrales se mettent en place. Parallèlement, les voies nerveuses (qui permettent le passage des informations contenues dans une partie du cerveau à une autre partie) se développent alors qu'une substance blanche, constituée principalement de lipides et appelée « myéline », augmente la vitesse de propagation de l'influx nerveux : les informations circulent plus vite et moins de données sont perdues (la « myéline » forme une sorte de gaine autour de certaines cellules du cerveau et de la moelle épinière). Tandis que son cerveau grandit et se développe, le bébé dort et rêve moins. De plus, il entend et voit mieux qu'à la naissance et il regarde attentivement les personnes et les objets autour de lui. Il tend de plus en plus les bras et les mains pour toucher les objets et se tourne vers son entourage, sourit, émet des sons et rit. La qualité de ses relations avec les gens qui partagent son quotidien change elle aussi, et les parents sentent que leur bébé vient vers eux, alors que jusqu'à ce jour, c'était eux qui allaient vers leur bébé. Le bébé naît avec toute une série de réflexes qui lui permettent d'avoir des relations avec son environnement, même si ces relations ne sont que peu développées. Avant l'âge de deux mois et demi, il se sert de ses réflexes pour découvrir le monde qui l'entoure.

Qu'est-ce qui fait sourire votre bébé ?

Quelques tests simples permettent de comprendre ce qui fait sourire votre bébé. Dès lors que l'on parle des premiers sourires, rappelez-vous une fois encore qu'il vous faut considérer non pas la date à laquelle votre bébé est né, mais la date à laquelle il a été conçu. Un bébé prématuré sourit plus tard et un bébé né après terme sourit plus tôt que la moyenne, soit environ vers l'âge de six semaines.

Les premiers sourires : entre 4 et 10 semaines

Les premiers temps, votre bébé sourit en dormant. Les premiers sourires n'illuminent pas son visage (les lèvres restent immobiles ou une seule partie du visage sourit). Ces premiers sourires sont des réactions neurologiques. Peu à peu, votre bébé sourit lorsqu'il entend des sons aigus dans son sommeil.

• Prenez une voix plus aiguë ou faites teinter une cloche près de votre bébé lorsqu'il est endormi.

Les premiers sourires intentionnels : entre 6 et 13 semaines

Lorsqu'il a entre 6 et 13 semaines, le visage de votre bébé s'illumine lorsqu'il sourit. Il sourit dès qu'il entend un son aigu même éveillé et que vous remuez la tête.

• Essayez de regarder votre bébé droit dans les yeux et hochez la tête en disant «Bonjour mon (ma) chéri(e).»
• Faites teinter une cloche ou remuez un hochet – si possible avec un visage dessiné dessus – devant lui.

Les premiers sourires sociaux : entre 10 et 20 semaines

Vers l'âge de trois mois, regarder des personnes qui secouent la tête perd de son charme. Et même si votre bébé est toujours très sensible aux voix aiguës qui le font spontanément sourire, c'est aux visages immobiles qu'il sourit; principalement les visages qui lui sont familiers, mais pas uniquement. Les sourires illuminent tout le visage de votre bébé, les yeux s'écarquillent, la bouche s'ouvre et il hausse les sourcils.

- Inutile de hocher la tête et d'agiter un hochet face à votre bébé.
- Essayez de le regarder droit dans les yeux lorsque vous lui parlez.

Les rires : entre 16 et 28 semaines

Les rires viennent après les larges sourires qui illuminent le visage de votre bébé. Dans un premier temps, votre bébé rit lorsqu'il entend certains bruits et/ou qu'il touche quelque chose. Plus tard, il rit en fonction d'une situation précise, par exemple lorsque vous jouez avec lui à « ti-gallop ». En riant par anticipation, votre bébé vous montre qu'il sait (qu'il a appris et se souvient) ce qui va se passer. Avant huit mois, votre bébé est capable de vous faire comprendre qu'il sait exactement à quel moment vous allez le faire tomber entre vos genoux. De même, il rit dès que vous penchez la tête, avant même que vous lui fassiez des bisous sur le ventre.

- Montrez à votre bébé un jouet, puis faites-le disparaître et réapparaître.
- Embrassez son ventre.
- Jouez à « ti-gallop ».
- Chatouillez-lui le ventre avec une peluche.
- Chatouillez-lui les pieds.
- Faites-le sauter sur vos genoux ou en l'air.
- Le rire est contagieux : riez et votre bébé rira.

C La *référenciation sociale* : entre 6 et 12 mois

Même si les sourires et les rires sociaux viennent s'ajouter au répertoire de votre bébé, il ne partage pas encore totalement ce que vous vivez. Les relations se limitent à ce que *vous* faites pour répondre à *ses* besoins et à *ses* attentes. Vous le faites rire, vous calmez ses peurs, vous devinez ce dont il a besoin et vous entamez les conversations. On ne peut réellement parler d'échanges qu'au bout de la première année, lorsque votre bébé commence à utiliser le langage du corps pour exprimer ce qu'il veut et à désigner les choses qu'il désire partager avec vous, et ce, même si dès le septième mois (voire plus tôt chez les bébés qui se déplacent à quatre pattes), votre bébé commence à faire passer certains messages en faisant des gestes ; par exemple, en vous tendant les bras pour vous dire qu'il veut que vous le preniez ou en vous tendant le pied pour que vous le chatouilliez.

Parallèlement, des petits changements dans le comportement de votre bébé sont à noter : avant de faire quelque chose, il vous regarde afin de voir comment vous allez réagir. En d'autres termes, c'est votre réaction qui conditionne ce qu'il va faire ou ressentir : avoir peur *si* vous êtes effrayé ou être rassuré si vous riez ou souriez. Il a les mêmes expressions du visage que vous : il sourit quand vous souriez, il hausse les sourcils lorsque vous haussez les sourcils, et il reprend à son compte vos émotions.

Des psychologues ont montré que si votre visage a une certaine expression (consciemment ou non), l'émotion ou le sentiment correspondant à cette expression monte en vous. Dire que tout va mieux dès lors que l'on sourit ou que les muscles du visage sont détendus est on ne peut plus vrai.

Vous trouverez ci-dessous une partie du questionnaire figurant au chapitre 3 et portant sur la *référenciation sociale* ou *repérage social* (lire la réponse à une question sur le visage des autres).

D Votre enfant et la *référenciation sociale*

Le test démontre si votre enfant est prêt à partager ses émotions et ses expériences. Dès lors qu'il commence à comprendre que votre identité et la sienne sont séparées, il vous observe pour savoir ce qu'il doit faire ou ressentir, notamment dans des situations inhabituelles. La *référenciation sociale* se développe plus vite chez les enfants qui se déplacent seuls.

1. Si vous montrez du doigt à votre bébé quelque chose qui se trouve de l'autre côté de la pièce :

a) il regarde votre doigt ; ◯

b) il regarde ce que vous lui montrez du doigt. ◯

2. Si votre enfant laisse tomber un jouet, le cherche-t-il ?

a) Non. ◯

b) Oui. ◯

3. Votre enfant aime-t-il jouer à «ti-gallop» ?

a) Non. ◯

b) Oui. ◯

4. Lorsque votre enfant est sur vos genoux et que vous jouez avec lui, vous fait-il comprendre qu'il ne veut pas que vous vous arrêtiez ?

a) Non. ◯

b) Oui. ◯

5. Lorsque votre enfant est sur vos genoux et que vous jouez, par exemple, à «ti-gallop», montre-t-il qu'il sait d'avance qu'il va tomber entre vos genoux?

a) Non. ◯

b) Oui. ◯

6. Si vous jouez avec votre bébé en le regardant dans les yeux et que vous tournez la tête:

a) il regarde votre tête? ◯

b) il suit votre regard? ◯

7. Si vous secouez un hochet pour attirer son attention, est-ce qu'il:

a) regarde entre le hochet et votre main tout en tendant la main pour attraper le hochet? ◯

b) regarde entre votre main et le hochet avant et après avoir saisi le hochet? ◯

8. Si quelque chose de nouveau se produit, votre enfant:

a) réagit comme vous vous y attendez en fonction de son tempérament, c'est-à-dire en acceptant ou en refusant la situation; ◯

b) vous observe avant de réagir et accepte ou refuse la situation en fonction de votre réaction. ◯

9. Lorsqu'il joue, votre enfant:

a) lève la tête lorsque vous l'appelez? ◯

b) lève la tête à intervalles réguliers pour voir où vous êtes, et ce, même si vous ne l'appelez pas? ◯

10. Si un objet est hors de portée de votre enfant:

a) il essaie de l'attraper? ◯

b) il vous fait comprendre qu'il veut que vous l'attrapiez pour lui. ◯

11. Est-ce que votre enfant reconnaît :

a) la personne qui s'occupe de lui au quotidien ?　○

b) tous les membres de la famille proche ?

12. Est-ce que votre enfant :

a) est content lorsqu'il est en présence d'inconnus ?　○

b) se montre de plus en plus timide et anxieux en présence d'inconnus ?　○

13. Est-ce que votre bébé :

a) donne des petits coups de pieds et exprime sa joie lorsque vous lui parlez ?　○

b) réagit au ton de votre voix et est content lorsque vous êtes content ou agité lorsque vous êtes en colère ou fâché ?　○

14. Lorsque vous donnez à manger à votre bébé :

a) ouvre-t-il la bouche à l'approche de la cuillère ?　○

b) refuse-t-il parfois d'ouvrir la bouche ?　○

15. Votre enfant comprend-il lorsque vous dites « Non » ?

a) Non.　○

b) Oui.　○

Interprétation des résultats

❏ Une majorité de *a* chez les enfants en dessous de cinq à sept mois

Votre bébé est arrivé à un stade où il partage sa joie et ses émotions avec vous, même si la communication des émotions ne se fait que par le moyen d'interactions en face à face. Il ressent ce que vous ressentez, mais il ne sait pas encore exprimer lui-même ses émotions qui, par ailleurs, ne sont liées qu'au moment présent. Il est incapable de dire ce qu'il ressentait il y a 10 minutes ou ce qu'il ressentira dans 10 minutes.

❏ **Un mélange de *a* et de *b* chez les enfants entre six et huit mois**
Votre enfant commence à partager ses émotions et ce qu'il perçoit de son environnement, à savoir les personnes, mais aussi les jouets et les objets qui sont dans son champ de vision. Il commence à exprimer ce qu'il veut et ce qu'il ressent par des interactions.

❏ **Une majorité de *b* chez les enfants entre 8 et 12 mois**
Votre enfant commence à partager ses expériences et ses émotions avec les personnes qui s'occupent de lui au quotidien et se fie à leurs réactions afin de savoir comment il doit agir et ce qu'il doit ressentir. La communication occupe le devant de la scène. Il veut vous faire passer des messages et est en colère ou frustré lorsque vous ne comprenez pas.

La peur des inconnus et l'angoisse de séparation

Entre 6 et 12 mois, les enfants commencent à avoir peur des inconnus, voire même des membres de la famille qu'ils n'ont pas vus depuis longtemps. La peur des inconnus peut se faire ressentir dès l'âge de quatre mois, même si, en règle générale, ce n'est que vers six mois que les enfants deviennent peureux. Ci-après, un tableau récapitulatif montre le comportement des enfants selon différentes tranches d'âge.

Pourcentage de bébés

Âge des bébés	ayant peur des inconnus
21 – 24 semaines	0%
25 – 28 semaines	16%
29 – 32 semaines	25%
33 – 36 semaines	32%
37 – 40 semaines	11%
41 – 44 semaines	6%
45 – 48 semaines	3%
49 – 78 semaines	5%

Qu'est-ce que cela vous apprend sur votre bébé?

Pour avoir peur des inconnus, les bébés doivent savoir qu'ils ont affaire à des inconnus. Par conséquent, lorsque les bébés commencent à montrer leur peur, et plus tard lorsqu'ils deviennent très peureux et restent collés à leurs parents, cela démontre qu'ils savent qui sont leurs proches. Votre bébé sait qui vous êtes et se souvient de vous, mais pas seulement lorsqu'il vous voit. En effet, il se souvient également de vous lorsqu'il regarde quelqu'un d'autre. Cela peut paraître insignifiant, mais, pour un petit être qui a une toute petite mémoire – ce qui est le cas des bébés –, c'est franchement étonnant. Avant d'avoir peur, il regarde le visage souriant de la personne et écoute sa voix chantante et réalise que ce n'est pas la voix qu'il connaît et qu'il aime. C'est également à cette période qu'il prend conscience qu'il n'a qu'une seule mère et que vous ne disparaissez pas à tout jamais dès qu'il ne vous voit plus. À cet effet, nous verrons, plus loin dans ce chapitre, quel test vous pouvez faire pour connaître les étapes que votre enfant a franchies.

La crainte de la séparation – c'est-à-dire la peur que manifeste un enfant lorsque l'un de ses parents ou la personne qui s'occupe de lui au quotidien le laisse – apparaît un peu plus tard que la peur des inconnus, soit lorsque bébé comprend que les personnes qui s'occupent de lui et qu'il aime continuent d'exister même lorsqu'il ne les voit plus – nous verrons également, plus loin dans ce chapitre, quel test faire pour savoir si votre bébé en est à ce stade. Les enfants qui sont angoissés par la séparation pleurent, s'accrochent à leurs parents et les cherchent lorsqu'ils partent. Comme je vous l'ai dit précédemment, la crainte de la séparation apparaît un peu plus tard que la peur des inconnus, soit vers l'âge de 36 semaines. La crainte est à son apogée vers 78 semaines (18 mois), puis diminue progressivement. Cette crainte se fait plus ou moins ressentir selon que l'enfant reste toute la journée avec la même personne ou que plusieurs personnes s'occupent de lui.

Dans un premier temps, les enfants sont angoissés même lorsque leurs parents les laissent dans un lieu qui leur est familier, puis, au fil du temps, ils ne manifestent de la peur que dans les lieux qu'ils connaissent peu ou pas, ce qui prouve qu'ils font alors la différence entre leur maison et une autre maison.

F Empathie et compréhension sociale : où en est votre enfant ?

Le test ci-dessous, qui s'adresse à des enfants entre 10 et 30 mois, permet de définir s'ils comprennent ce que les personnes de leur entourage pensent et ressentent.

1. Votre enfant pleure-t-il lorsqu'il entend d'autres enfants pleurer ?

a) Oui.   ◯

b) Non.   ◯

2. Votre enfant essaie-t-il de consoler les personnes de son entourage lorsqu'elles ont du chagrin, et ce, même si leur attitude n'est pas toujours appropriée, par exemple s'il vous donne sa tétine ?

a) Non. ⭘

b) Oui. ⭘

3. Est-ce que votre enfant exprime son inquiétude – ne serait-ce qu'avec une petite tape ou un baiser rapide – lorsque vous êtes malade ou contrarié ?

a) Non. ⭘

b) Oui. ⭘

4. Lorsque votre enfant tend un jouet à un autre enfant, fait-il attention à ce que l'enfant le voit, en regardant s'il le regarde ou s'il a le dos tourné ? En d'autres termes, agit-il comme s'il savait que l'enfant doit être face au jouet et regarder dans sa direction afin de le voir ?

a) Non. ⭘

b) Oui. ⭘

5. Lorsque votre enfant joue avec un enfant plus jeune que lui, modifie-t-il son comportement en tenant compte de la différence d'âge ?

a) Non. ⭘

b) Oui. ⭘

6. Votre enfant partage-t-il ses jouets sans trop de problèmes ?

a) Oui. ⭘

b) Non. ⭘

7. Votre enfant participe-t-il spontanément aux tâches ménagères ?

a) Non. ⭘

b) Oui. ⭘

8. Votre enfant prend-il parfois un jouet sans se préoccuper de savoir si un autre enfant joue avec?

a) Oui. ○

b) Non. ○

9. Votre enfant prête-t-il ses jouets aux autres enfants?

a) Non. ○

b) Oui. ○

10. Si votre enfant entre en conflit avec d'autres enfants

a) prend-il de force ce qu'il veut? ○

b) essaie-t-il de négocier ou d'amadouer les autres enfants pour arriver à ses fins et avoir ce qu'il désire? ○

11. Votre enfant frappe-t-il d'autres enfants, même sans méchanceté?

a) Oui. ○

b) Non. ○

12. Votre enfant pousse-t-il ou mord-il les autres enfants?

a) Oui. ○

b) Non. ○

13. Votre enfant tire-t-il sur vos boucles d'oreilles alors que vous lui avez déjà dit plusieurs fois que cela fait mal?

a) Oui. ○

b) Non. ○

14. Votre enfant tire-t-il les cheveux des personnes de son entourage?

a) Oui. ○

b) Non. ○

15. Votre enfant vous tend-il son cornet (ou une rondelle de banane) pour vous faire plaisir?

a) Non. ◯

b) Oui. ◯

Interprétation des résultats

❏ Une majorité de *a*

À 10 mois, votre enfant aime être avec d'autres enfants, mais il est pris au piège par ses propres pensées et ses sentiments. Il ne comprend pas encore vraiment que les autres enfants sont des individus à part entière. Par conséquent, il ne comprend pas qu'il doit s'assurer qu'un enfant veut le jouet qu'il lui tend ou qu'un autre sera fâché s'il lui prend le jeu avec lequel il est en train de s'amuser. L'aspect positif, c'est que votre enfant n'est pas vraiment en colère lorsque quelqu'un lui prend son jouet. L'aspect négatif, c'est qu'il ne comprend pas qu'il ne doit ni frapper ni mordre un autre enfant : dans la mesure où il n'a pas mal, il ne comprend pas qu'il en soit autrement pour les autres.

❏ Une majorité de *b*

Vers l'âge de 30 mois, votre enfant commence à comprendre qu'il doit tenir compte du comportement d'autrui, même si cela lui est encore difficile. Il s'assure que l'enfant vers qui il tend un jouet le voit, alors qu'il est prêt à négocier avant de s'emparer du jouet d'un enfant. Il ne comprend peut-être pas encore que vos pensées et vos sentiments sont différents des siens – ce qui viendra plus tard –, mais il sait que certaines actions rendent malheureux et que d'autres font pleurer.

S'intéresser aux autres

La famille est le centre du monde des bébés même si, au fils des mois, ils s'intéressent peu à peu aux personnes ne vivant pas sous le même toit et n'appartenant pas à leur famille, notamment aux autres enfants. L'intérêt des enfants pour leurs pairs augmente puis diminue : avant l'âge de 12 mois, ils aiment voir d'autres bébés, leur « parler » et leur sourire, mais, après leur premier anniversaire, ils commencent à se désintéresser des personnes, y compris des enfants, et se tournent vers les objets. À 13 mois, ils sont plus intéressés par les jouets que par les enfants qui jouent avec. Vers l'âge de 15 mois, ils se tournent de nouveau vers leurs pairs, essayant alors d'imiter ce que les autres font. Ils aiment jouer à « cache-cache », à « Jean dit » et chanter des comptines qu'ils accompagnent de gestes, ébauchant ainsi des relations avec les adultes et les autres enfants.

Déterminer si votre enfant comprend les émotions des personnes de son entourage

Ce test repose sur des photographies représentant diverses situations (des enfants fêtant un anniversaire, un chien s'enfuyant à toute vitesse, des enfants en train de jouer, des personnes en colère, etc.). Demandez à votre enfant ce que ressentent les personnes ou l'animal sur les photographies et pourquoi ils ressentent cela.

Ce dont vous avez besoin :

- Un livre avec des images racontant une histoire gaie ou une photographie montrant des enfants fêtant un anniversaire.

- Un livre avec des images racontant une histoire triste ou le dessin d'un chien fuyant à toute vitesse.
- Un livre racontant l'histoire d'un enfant qui se perd ou la photographie d'un enfant seul.

Ce que vous devez faire

Racontez l'histoire à votre enfant ou montrez-lui la photographie en lui racontant ce qui se passe.

- Montrez-lui la photographie des enfants fêtant un anniversaire et dites-lui : « C'est l'anniversaire de Marie. Regarde les cadeaux que lui ont apportés ses amis. » Puis, demandez-lui : « Qu'est-ce Marie ressent lorsque ses amis arrivent avec tous les cadeaux ? »
- Montrez-lui la photographie du chien fuyant à toute allure et dites-lui : « C'est Looky. C'est le chien de Mélodie. Il part en courant. Il va se perde et il ne reviendra jamais à la maison. » Puis, demandez à votre enfant : « Que va penser Mélodie quand on lui dira que son chien a disparu ? »
- Montrez-lui la photographie de l'enfant et dites-lui : « C'est Pierre. Il a perdu sa maman et il se retrouve tout seul. » Et demandez-lui : « Que pense Pierre ? Que ressent-il en réalisant qu'il est tout seul et qu'il ne sait pas où est sa maman ? »

Ce à quoi vous pouvez vous attendre

La plupart des enfants âgés de deux ans répondent que Marie est contente, mais ils sont incapables de décrire les émotions comme la tristesse ou la peur. Vers quatre ou cinq ans, ils comprennent ce que ressentent les enfants dans des situations peu agréables.

Faites le test à intervalles réguliers et voyez comment évolue votre enfant.

Les colères de votre enfant

En grandissant, les enfants sont en proie à une forte ambiguïté. Ils se mettent en colère non pas parce qu'ils sont simplement frustrés, mais parce qu'ils sont frustrés par le comportement de leurs parents. Conscients que leur père et leur mère ne sont plus toujours coopératifs, ils franchissent un nouveau palier de communication et se mettent plus facilement en colère.

Le premier test repose sur la dernière colère que votre enfant a «piquée», alors que le second permet de découvrir l'élément déclencheur des colères de votre enfant.

1. La dernière colère de votre enfant était-elle prévisible?

a) Non. Vous ne vous y attendiez absolument pas. ◯

b) Oui et non. Vous avez senti la colère monter peu à peu en lui. ◯

c) Oui. Il était de mauvaise humeur. Il vous cherchait querelle et vous demandait l'impossible. ◯

2. Combien de temps a duré la dernière colère de votre enfant?

a) Une minute ou deux, pas plus. ◯

b) Quelques minutes. ◯

c) Cinq minutes voire plus. ◯

3. Comment la colère de votre enfant a-t-elle éclaté?

a) Soudainement. Il s'est mis à crier, à taper du pied, à se
    rouler par terre, etc.   ◯

b) Il était tendu et, soudainement, il a perdu le contrôle
    de lui-même.   ◯

c) Il manifestait son mécontentement, disait « Non », criait,
    tapait du pied, et il a fini par perdre tout contrôle.   ◯

4. Comment la colère de votre enfant s'est-elle terminée?

a) Comme si rien ne s'était passé.   ◯

b) Il a été triste et désolé un certain temps.   ◯

c) Il était triste et désolé et vous avez dû le consoler.   ◯

5. Quand avait eu lieu la colère précédente?

a) Le même jour.   ◯

b) La veille.   ◯

c) La même semaine.   ◯

Interprétation des résultats

❏ Une majorité de *a*
    Votre enfant doit avoir moins de deux ans et demi. À cet âge,
    les colères éclatent sans qu'on s'y attende; elles atteignent leur
    paroxysme, puis elles retombent, et l'enfant fait comme si rien
    ne s'était passé – probablement parce qu'il vit dans l'instant
    présent.

❏ Une majorité de *b*
    Votre enfant a très probablement entre deux et trois ans. Ses
    colères sont de plus en plus prévisibles, et une fois calmé, votre
    enfant est triste, désolé et a besoin de réconfort.

❏ Une majorité de *c*

Votre enfant doit avoir plus de trois ans et demi. Ses colères sont prévisibles (signes annonciateurs tels que la mauvaise humeur). Une fois sa colère calmée, il se sent mal, triste et de mauvaise humeur, et il a besoin de réconfort.

Les éléments qui déclenchent des colères chez votre enfant sont liés à ses relations avec les autres

1. Qui est avec votre enfant (ou qui s'occupe de lui) lorsqu'il se met en colère ?

a) Sa mère. ○

b) Ses parents, les membres de la famille proche,
les personnes qui s'occupent de lui au quotidien. ○

c) Des inconnus, des éducateurs, des moniteurs ou
des personnes qu'il ne connaît pas très bien. ○

2. Qui est avec votre enfant (ou qui s'occupe de lui) lorsqu'il pique ses plus grosses colères ?

a) Sa mère. ○

b) Ses parents, les membres de la famille proche,
les personnes qui s'occupent de lui au quotidien. ○

c) Des inconnus, des éducateurs, des moniteurs ou des
personnes qu'il ne connaît pas très bien. ○

3. Si vous essayez de déterminer le moment où votre enfant se met en colère (en compagnie de quelle personne, à quel moment de la journée, la fréquence), qu'est-ce qui vient en tête de liste ? Avec quelle personne votre enfant pique-t-il le plus de colères ?

a) Sa mère. ○

b) Ses parents, les membres de la famille proche, les personnes qui s'occupent de lui au quotidien. ○

c) Des inconnus, des éducateurs, des moniteurs ou des personnes qu'il ne connaît pas très bien. ○

4. Où votre enfant pique-t-il ses plus grosses colères ?

a) À la maison ou en voiture. ○

b) Dans les magasins, chez des amis ou partout où la personne qui prend soin de lui est occupée. ○

c) Partout. Il n'a pas un « lieu de prédilection ». ○

5. Quels éléments déclenchent le plus souvent des colères chez votre enfant ?

a) Lorsqu'il est confiné dans un endroit où il ne voit pas bien ni son père ni sa mère. Par exemple, dans sa poussette, dans son siège d'auto, etc. ○

b) Quand il n'arrive pas à faire quelque chose et qu'il se sent frustré ; par exemple, lorsqu'il met son pantalon à l'envers ou quand il met le talon de sa chaussette sur ses orteils. ○

c) Rien de spécial. ○

6. Votre enfant pique-t-il plus de colères à un moment précis de la journée ?

a) Oui, le matin ou en fin d'après-midi lorsque vous êtes occupé. ○

b) Oui, lorsqu'il est fatigué. ○

c) Non. ○

7. Est-ce que votre humeur a des répercussions sur le comportement de votre enfant ?

a) Parfois, notamment si vous êtes occupé ou si vous ne faites pas attention à lui ou elle. ○

b) Parfois, si vous êtes très occupé ou si vous ne faites pas attention à lui ou elle. ○

c) Jamais. ○

8. Est-ce que ce votre comportement peut déclencher une colère?

a) Oui, si vous êtes occupé, si vous parlez à quelqu'un ou si vous ne faites pas attention à votre enfant. ○

b) Parfois, si vous êtes occupé, si vous parlez à quelqu'un ou si vous ne faites pas attention à votre enfant. ○

c) Non. ○

9. Est-ce que votre enfant pique des colères lorsque vous le laissez chez la gardienne ou à la garderie?

a) Oui, souvent. ○

b) Parfois. ○

c) Jamais. ○

10. Pouvez-vous le détourner de ses pensées lorsqu'il est sur le point de se mettre en colère?

a) Oui. ○

b) Parfois, mais ses colères sont généralement imprévisibles. ○

c) Non. ○

Interprétation des résultats

❏ Une majorité de *a*

Les colères de votre enfant sont liées à ses relations avec autrui, ce que montrent les réponses. Les enfants piquent presque toujours des colères en compagnie des gens qu'ils aiment, dans les lieux qui leur sont familiers et là où ils se sentent le plus en sécurité. Votre enfant semble très attaché à son père et à sa mère.

❏ **Une majorité de *b***

Les colères de votre enfant sont liées à ses relations avec autrui, ce que montrent les réponses. Les enfants piquent presque toujours des colères en compagnie des gens qu'ils aiment, dans les lieux qui leur sont familiers et là où ils se sentent le plus en sécurité. Votre enfant a établi des liens serrés avec son père, sa mère et toutes les personnes qui s'occupent de lui.

❏ **Une majorité de *c***

Très peu d'enfants sont concernés. Si votre enfant a plus de deux ans ET s'il a du mal à se positionner par rapport à la *référenciation sociale* ET s'il a un retard de langage, signalez-le à un pédiatre ou au médecin traitant. Cela peut – parfois mais pas toujours – cacher d'autres problèmes.

🄹 La compréhension de soi

La définition de soi vient de l'aptitude de l'enfant à comprendre le monde et les émotions de celles et ceux qu'il aime, mais aussi ses propres émotions. Observez le comportement de votre enfant et demandez-lui de vous parler de lui. Dès l'âge de trois ans, votre enfant peut, si vous l'y encouragez, dire :

« Je m'appelle *prénom*. Je suis un garçon/une fille. »
« J'habite dans une maison rue… »
« Ma poupée s'appelle *prénom* et mon chat *nom*. »
« J'ai un manteau bleu et un vélo rouge. »
« Mon meilleur ami est *prénom* et j'aime beaucoup *prénom*. »

L'enfant se définit au moyen de faits isolés : « Mon chat s'appelle *nom* », « J'ai un manteau bleu ». Lorsque vous lui demandez de se définir, il passe d'un fait à un autre sans suivre une trame ou un ordre logique. Sa pensée, comme la pensée de presque tous les enfants non scolarisés, est catégorique : tout ou rien, blanc ou noir, mais jamais gris. Il aime ou déteste quelqu'un ou quelque chose, mais, à la différence des adultes, il n'est jamais indifférent. Dans la mesure où il comprend mieux les émotions positives que les émotions négatives, il ne dit que des choses positives sur lui. Par exemple, il dit qu'il sait sauter et nager, mais ne dit pas qu'il ne sait pas rattraper une balle. En grandissant, la tendance s'inverse. Pour preuve, les adultes ont souvent tendance à mettre l'accent sur les aspects négatifs de leur personnalité. Votre enfant ne peut imaginer ressentir deux émotions au même moment ; par exemple, être content, mais, en même temps, être un peu effrayé.

Avant l'âge de cinq ans, les enfants se décrivent en associant un aspect de leur comportement avec d'autres aspects qui leur sont liés : « Je dessine et je colorie bien », « Je réussis toujours à envoyer un ballon dans les buts ». Ils ne parlent que des points positifs et voient tout en blanc ou en noir, mais ils sont incapables de relativiser.

 La compréhension de soi et des autres : test à réaliser sur les enfants non scolarisés

1. Lorsqu'il est avec d'autres enfants, votre enfant :

a) joue à l'écart : il est assis avec les autres enfants, mais chacun joue de son côté ; ◯

b) il partage des jeux simples avec les autres enfants : par exemple, il fait semblant de cuisiner ; ◯

c) il participe aux jeux de rôles dans lesquels chaque enfant incarne un personnage. ◯

2. Lorsque vous arrivez chez la gardienne, à la garderie ou chez un ami, votre enfant :

a) trépigne, mais finit par accepter que vous partiez
   ou que vous ne vous occupiez pas de lui ;   ◯

b) dit « Bonjour » si vous le lui rappelez ;   ◯

c) dit « Bonjour » à toutes les personnes présentes.   ◯

3. Si vous lui parlez de sa journée, votre enfant :

a) vous laisse parler et compte sur vous pour se remémorer
   ce qui s'est passé. Il ajoute des commentaires pour
   montrer qu'il comprend et se souvient des choses ;   ◯

b) vous corrige si vous vous trompez sur un détail ;   ◯

c) vous raconte ce qu'il fait.   ◯

4. Si votre enfant joue avec un nounours ou une poupée :

a) il le câline et le prend dans ses bras ?   ◯

b) il met son nounours ou sa poupée au lit ?   ◯

c) il s'occupe de son nounours ou de sa poupée : l'habille,
   le coiffe, etc.   ◯

5. Si votre enfant joue à faire semblant :

a) il vous imite, par exemple en faisant semblant d'utiliser
   une perceuse électrique ou de donner à manger à son
   nounours ;   ◯

b) il mime une situation qui lui est habituelle : il cuisine
   ou donne à boire à ses animaux ;   ◯

c) il entre dans la peau d'un personnage et invente des
   histoires lorsqu'il est seul ou il fait des jeux de rôles avec
   d'autres enfants.   ◯

6. Si vous lui montrez des photographies de membres de la famille :

a) il ne reconnaît personne ou, tout au moins, pas tout le
   monde ;   ◯

b) il reconnaît tout le monde, y compris les adultes qui ne font pas partie de la famille, mais qu'il voit fréquemment ; ○

c) il se reconnaît. ○

7. Si vous le demandez à votre enfant :

a) il sait dire si l'enfant que vous lui montrez sur une photographie est un garçon ou une fille ; ○

b) il sait vous dire s'il est un garçon ou elle sait vous dire si elle est une fille ; ○

c) il comprend qu'en grandissant, les enfants ne changent pas de sexe et qu'il restera toujours un garçon ou une fille – que les filles ne se transforment pas en papas et qu'elles n'étaient pas des garçons à la naissance. ○

8. Si vous laissez le choix à votre enfant :

a) il choisit les jouets avec lesquels il s'amuse le plus ; ○

b) il choisit les jouets les plus appropriés aux filles si votre enfant est une fille et aux garçons s'il est un garçon ; ○

c) il choisit les mêmes jouets ou les mêmes activités que les autres enfants. ○

9. Lorsque vous arrivez chez un ami :

a) il reste collé à vous ; ○

b) il reste dans la même pièce et vérifie que vous le regardez de temps à autre ; ○

c) il vous laisse et va jouer avec les autres enfants. ○

10. Est-ce que votre enfant :

a) imite ce que vous faites ? ○

b) vous imite et prétend être qui vous êtes ? ○

c) imite et prétend être une maman si votre enfant est une fille ou un papa s'il est un garçon ? ○

11. Est-ce que votre enfant agit comme si un casque de policier et les vêtements de Batman :

a) sont des déguisements ? ⭕

b) sont des déguisements réservés aux garçons ? ⭕

c) sont des déguisements avec lesquels les filles ne devraient pas jouer, même en privé ? ⭕

12. Avec qui votre enfant joue-t-il ?

a) Les membres de la famille, les enfants plus âgés et tous ceux et toutes celles qui lui proposent de jouer. ⭕

b) Toutes les personnes ci-dessus, mais il a un nouvel ami privilégié à chaque semaine. ⭕

c) Il a un ou deux bons amis avec qui il joue. ⭕

13. Votre enfant :

a) parle à son père et à sa mère ainsi qu'aux autres membres de la famille proche ; ⭕

b) parle avec tous les membres de la famille et les amis ; ⭕

c) prend part aux conversations entre adultes. ⭕

14. Lorsqu'il s'habille :

a) il met les vêtements que vous lui avez préparés ; ⭕

b) il met ses vêtements préférés ; ⭕

c) il met les mêmes vêtements que les autres enfants. ⭕

15. Lorsque vous vous retrouvez, vous et votre enfant, après une séparation :

a) il vous raconte ce qu'il a fait seulement si vous le lui demandez, en omettant les détails ; ⭕

b) il vous raconte ce qu'il a fait comme si vous étiez avec lui ; ⭕

c) il vous donne des détails comme s'il comprenait que vous n'avez pas partagé son expérience. ⭕

Interprétation des résultats

❑ Une majorité de *a*

Votre enfant a environ deux ans. Il franchit les premières étapes de la socialisation auprès des membres de sa famille, des personnes qui s'occupent de lui au quotidien et de vos amis intimes. Il ne sait pas comment procéder pour se faire des amis, et ce, même s'il se joint aux enfants plus âgés pour jouer. Il ne sait pas encore se mettre à la place de quelqu'un d'autre et sa compréhension de sa propre personne (et de vous) ne va pas au-delà du moment et de l'endroit présents. Par exemple, votre fille pense qu'elle épousera son papa lorsqu'elle sera grande. Votre enfant sait qu'il va grandir – ce qui, concrètement, ne veut pas dire grand-chose –, mais ne réalise pas que vous aussi allez changer.

❑ Une majorité de *b*

Votre enfant a probablement entre trois et quatre ans. Il commence à se faire des amis et à jouer avec d'autres enfants. Il n'est pas encore capable de se mettre à la place des autres enfants, mais il a appris à partager (quelquefois) et à ne pas frapper ses camarades (la plupart du temps) sous peine de s'attirer des problèmes. Votre fille sait qu'elle est une fille, mais elle peut encore penser qu'elle sera un papa quand elle sera grande. Elle aime jouer avec d'autres petites filles et choisit des jouets ou des activités destinés principalement aux filles.

❑ Une majorité de *c*

Votre enfant est âgé d'au moins quatre ans et demi (probablement un peu plus) et il sait maintenant se mettre à la place d'autres personnes. Il comprend que vous ne partagez pas son expérience, sauf lorsque vous êtes avec lui. Votre fille sait qu'elle a toujours été, qu'elle est et qu'elle sera toujours une fille, mais peut toutefois penser que si elle se déguise en Batman, elle deviendra un garçon. Votre enfant commence à comprendre les règles qui régissent la société et à s'y conformer même lorsque personne ne le regarde.

Votre enfant a-t-il acquis la théorie de l'esprit?

Les jeunes enfants ne comprennent pas que nous ne voyons pas ce qu'ils voient, que nous ne vivons pas ce qu'ils vivent ou que nous ne sentons pas ce qu'ils ressentent. Les professionnels disent qu'ils n'ont pas encore acquis la théorie de l'esprit ou TDE. La TDE est la faculté de comprendre que chacun d'entre nous a ses propres pensées, que nous ne connaissons que ce que nous voyons ou entendons ou ce que les autres nous disent. La TDE est à la base de l'empathie (réussir à se mettre à la place d'autrui) et de la sympathie (essayer de comprendre ce qu'éprouvent les autres), mais aussi la tromperie. Bien évidemment, nous ne pouvons pas tromper une personne si nous pensons qu'elle voit ou qu'elle entend exactement la même chose que nous. La TDE ne se développe que lorsque l'enfant est sur le point d'être scolarisé.

C'est l'absence de TDE qui rend l'enfant transparent. En effet, il est difficile de tromper quelqu'un tant que l'on n'a pas compris que l'on peut le faire et difficile d'y parvenir avant de pouvoir se dire «Si je dis ou fais ça, il va penser que je...». Si votre enfant rentre de la garderie et vous dit «Tu sais cette fille avec laquelle je jouais...», alors que vous étiez au travail et que c'est une tierce personne qui l'a conduit à la garderie, vous savez qu'il n'a pas encore acquis la théorie de l'esprit. *A contrario*, si votre enfant revient à la maison et vous dit « Tu sais cette fille qui est dans mon école et qui habite près du magasin, la fille dont la maman travaille dans une poissonnerie, eh bien, aujourd'hui, je jouais avec elle quand… », alors vous pouvez affirmer qu'il a acquis la TDE.

Un autre fait qui tend à prouver que votre enfant est en train de franchir ce cap, c'est lorsqu'il commence à utiliser une stratégie dans ses jeux ou qu'il commence à avoir recours à des supercheries, par exemple, pour donner à ses petits frères ou petites sœurs ce qu'il ne veut pas et pour garder ce qu'il aime.

La majorité des enfants de quatre ans et un nombre élevé d'enfants de cinq ans échouent au test visant à déterminer s'ils ont acquis la TDE. Les enfants autistes ne font ce test que bien plus tard, et même à l'âge adulte, le test leur pose souvent encore des problèmes. Les deux tests ci-dessous sont communément utilisés. Tous deux sont destinés à des enfants capables de comprendre que seuls celles et ceux qui voient les choses se produire sauront s'il y a eu tromperie.

Le test de Smartie

Savoir si votre enfant comprend que les autres personnes ne partagent pas leurs pensées et ne ressentent pas la même chose qu'eux.

Ce dont vous avez besoin :

- Une boîte (ou un récipient) vide qui indique clairement ce qu'elle devrait contenir et que l'enfant a l'habitude de voir : une boîte de gâteaux, une boîte de crème glacée, un pot de yaourt avec le couvercle, etc. Le test repose sur deux points fondamentaux : l'enfant ne doit pas voir à l'intérieur de la boîte et il doit savoir ce que la boîte contient habituellement.

- Un objet qui n'a pas lieu d'être dans la boîte : des pastels, une paire de ciseaux, des cuillères, voire même des pâtes, l'essentiel étant que l'enfant soit capable de reconnaître et de nommer l'objet choisi lorsque vous le lui montrerez le moment voulu.
- Un nounours ou une poupée qui seront trompés.

Ce que vous devez faire :

- Mettez les pastels dans la boîte de gâteaux sans que votre enfant vous voit faire. Fermez le couvercle afin qu'il ne puisse pas voir ce qu'il y a à l'intérieur.
- Asseyez-vous à côté de votre enfant et mettez le nounours tout près de lui. Puis, prenez la boîte et demandez à votre enfant ce qui se trouve à l'intérieur. Puis, montrez la boîte au nounours et demandez à votre enfant ce que le nounours croit qu'il y a à l'intérieur de la boîte. Les deux fois, votre enfant devrait répondre : « Des gâteaux. »
- Expliquez ensuite à votre enfant que vous allez faire sortir le nounours de la pièce.
- Une fois le nounours sorti, sortez les pastels de la boîte, montrez-les à votre enfant et demandez-lui ce que la boîte contenait. Il répond : « Des pastels. » Remettez les pastels dans la boîte et refermez le couvercle.
- Allez chercher le nounours et demandez-lui : « Qu'est-ce que le nounours croit qu'il y a dans la boîte ? »

Votre enfant n'a pas encore acquis la TDE : il ne comprend pas que le nounours ne peut pas connaître quelque chose qu'il n'a pas vécu et que, par conséquent, il ne sait pas qu'il y a des pastels dans la boîte, parce que lorsque vous les avez montrés à votre enfant et qu'il a prononcé le mot « Pastels », le nounours n'était pas dans la pièce.

Votre enfant a acquis la TDE : il comprend que le nounours ne peut connaître que ce qu'il a vécu et qu'il ne peut donc pas savoir qu'il y a des pastels à l'intérieur de la boîte, dans la mesure où il n'était pas là quand vous avez retiré le couvercle.

Le test de Sally et d'Anne

Votre enfant comprend que les autres personnes ne partagent ni ses pensées ni ses sentiments

Ce dont vous avez besoin :

- Deux poupées (ou deux peluches) avec chacune un nom. À l'origine, le test était réalisé avec deux poupées prénommées Sally et Anne.
- Un sac (ou un panier) qui sera porté par l'une des poupées avec un objet précieux à l'intérieur, par exemple une bague ou une tablette de chocolat. À l'origine, le test était réalisé avec un objet posé au fond d'un panier et recouvert avec un morceau de tissu.
- Un endroit où sera dissimulé l'objet, par exemple sous un coussin.

Ce que vous devez faire :

- Asseyez-vous à côté de votre enfant et installez les deux poupées près de lui. Donnez le panier à Sally et demandez à votre enfant ce que chacune des poupées pense qu'il y a au fond du panier.

Les deux poupées vous ont vu mettre l'objet précieux dans le panier. Si nécessaire, prenez l'objet et montrez-le aux poupées en disant : « Regardez, il y a une bague dans le panier de Sally. »

- Puis, sortez Sally de la pièce, mais gardez le panier.
- C'est au tour d'Anne d'intervenir. Elle prend la bague et la cache sous le coussin.
- Allez chercher Sally.
- Demandez à votre enfant : « Où Sally croit-elle que l'objet se trouve ? »

Votre enfant n'a pas encore acquis la TDE : il ne comprend pas que Sally ne connaît que ce qu'elle a vécu et que, par conséquent, elle ne peut pas savoir qu'Anne a retiré l'objet du panier lorsqu'elle était hors de la pièce. À votre question, il répond donc : « Sous le coussin. »

Votre enfant a acquis la TDE : il comprend que Sally ne peut connaître que ce qu'elle a vécu et que, par conséquent, elle ne peut pas savoir qu'Anne a caché l'objet précieux sous le coussin alors qu'elle était hors de la pièce. À votre question, il répond donc : « Dans le panier. »

 ## Les listes de contrôle

Les listes de contrôle ci-dessous vous permettent de suivre l'évolution du développement psychomoteur de votre enfant entre zéro et cinq ans. Chacune d'elles s'inspirent de listes de contrôle mises au point par des psychologues qui ont étudié le comportement de nombreux sujets de leur naissance jusqu'à l'âge d'être scolarisé.

Les tests proposés suivent l'évolution d'un enfant, dit «dans la moyenne». L'ordre proposé qui dépend de nombreux facteurs est quelque peu aléatoire.

Par conséquent, vous noterez probablement que pour certaines choses votre enfant est en avance et que pour d'autres il est en retard. Les listes de contrôle ci-après présentent ce qu'un enfant doit faire à un certain âge – une fois encore l'ordre varie d'un enfant à l'autre – dans des domaines précis : manger seul, l'apprentissage de la propreté et s'habiller seul.

Liste de contrôle : comportement social

Les bébés sont totalement égocentriques. Ils demandent toute l'attention de leur entourage et veulent tout tout de suite. Ils sont incapables de faire les choses par eux-mêmes : ils DOIVENT faire appel à leur entourage pour survivre. Ils s'expriment de deux manières distinctes : ils séduisent avec leurs sourires et leurs regards pleins d'adoration et ils font savoir à travers leurs larmes et leur mécontentement qu'ils ont besoin d'aide. Durant les premières années de leur existence, les enfants doivent apprendre à se «glisser dans le moule» – d'abord, façonné, par la famille, puis par la société au sens large –, c'est-à-dire faire ce qu'attend d'eux la société, mais aussi la famille proche. Au fil du temps, la compréhension sociale se développe et, tout comme pour le développement psychomoteur, il devient possible d'élaborer une liste pour les comportements sociaux.

La liste ci-après indique l'ordre approximatif dans lequel les différents aspects du développement social évoluent chez l'enfant, les variantes étant liées à l'apprentissage, mais aussi au tempérament de l'enfant.

En règle générale, les filles sont sociables plus tôt que les garçons, mais, bien évidemment, il y a toujours des exceptions.

Toutefois, il y a plus de différences entre les filles qu'il y en a entre les filles et les garçons. Le comportement social des enfants varie en fonction de leur tempérament (voir chapitre 5) et du milieu dans lequel ils sont élevés. La pratique et le mimétisme sont deux éléments fondamentaux. Les enfants élevés dans des familles ayant une certaine ouverture d'esprit deviennent sociables plus rapidement. Les enfants qui ont des frères et des sœurs aînés vont plus facilement vers les autres enfants (dès le berceau, ils sont en contact avec d'autres enfants), alors que les enfants uniques se plaisent mieux en compagnie d'adultes.

Le test ci-dessus étudie la *compréhension sociale* des enfants. En grandissant, l'enfant doit, peu à peu, comprendre les règles qui régissent la vie en société et qui feront qu'il deviendra indépendant. Vous trouverez ci-après une liste de contrôle portant sur l'acquisition de l'autonomie : manger, devenir propre et s'habiller.

Cochez tout ce que fait votre enfant. L'ordre étant, comme je viens de vous le dire, presque toujours le même chez tous les enfants, vous avez une idée des étapes que s'apprête à franchir votre fils ou votre fille. Une fois le test terminé, reportez-vous à la page 165.

1. Votre enfant vous regarde-t-il si vous entrez dans son champ de vision ? ◯
2. Votre enfant sourit-il ? Sourit-il aux anges ? ◯
3. Votre enfant vous répond-il lorsque vous lui parlez ? ◯
4. Si vous lui tirez la langue, votre enfant vous imite-t-il ? ◯
5. Votre enfant est-il content de passer de bras en bras ? ◯
6. Votre enfant se calme-t-il dès que vous le prenez dans vos bras ? ◯
7. Votre enfant vous reconnaît-il ? ◯
8. Votre enfant regarde-t-il ses mains ? ◯
9. Votre enfant tend-il les bras pour vous toucher ? ◯

10. Votre enfant pleure-t-il lorsque vous le laissez seul ? ○

11. Votre enfant remue-t-il les bras et les jambes et gazouille-t-il quand il vous voit ? ○

12. Lorsqu'il est assis face à un miroir, votre enfant tend-il la main pour toucher le bébé qu'il voit ? ○

13. Lorsque vous faites quelque chose ensemble, votre enfant cherche-t-il à croiser votre regard ? ○

14. Votre enfant est-il de plus en plus timide en compagnie d'inconnus ? ○

15. Votre enfant peut-il dire si vous êtes en colère ? ○

16. Votre enfant sait-il jouer à « ti-gallop » ? ○

17. Votre enfant vous tend-il des objets, mais ne vous laisse pas les prendre ? ○

18. Votre enfant tend-il les bras pour être pris ? ○ ○

19. Votre enfant lève-t-il les bras lorsque vous lui demandez s'il est grand ? ○

20. Votre enfant fait-il des câlins et embrasse-t-il celles et ceux qu'il aime ? ○

21. Votre enfant connaît-il son prénom ? ○

22. Votre enfant refuse-t-il d'aller vers des inconnus ? ○

23. Votre enfant lève-t-il la tête lorsqu'il est occupé pour voir où vous êtes ? ○

24. Votre enfant regarde-t-il là où vous regardez ? ○

25. Votre enfant participe-t-il à vos jeux en faisant du bruit et anticipe-t-il ce qui va se produire, par exemple lorsque vous le faites sauter sur vos genoux ? ○

26. Votre enfant s'accroche-t-il à vous lorsque vous êtes sur le point de partir ? ○

27. Votre enfant commence-t-il à communiquer en faisant des petits bruits et des gestes ? ○

28. Votre enfant dit-il au revoir de la main ? ○

29. Votre enfant cherche-t-il du réconfort auprès de son nounours, d'une doudou ou tout autre objet qui le calme, le sécurise lorsqu'il est triste et avec lequel il dort ? ◯

30. Lorsqu'il est dans un lieu inconnu, votre enfant va-t-il jouer, mais vérifier régulièrement que vous êtes toujours là et venir souvent vous voir ? ◯

31. Lorsque vous faites quelque chose, par exemple lorsque vous tapez sur la table, votre enfant vous imite-t-il ? ◯

32. Votre enfant observe-t-il les autres enfants et les imite-t-il ? ◯

33. Votre enfant se plaît-il en compagnie d'autres enfants même s'il ne joue pas à proprement parler AVEC eux. ◯

34. Votre enfant joue-t-il avec des enfants plus âgés ? ◯

35. Votre enfant a-t-il maintenant moins de mal à vous quitter et est-il moins farouche avec les inconnus ? ◯

36. Votre enfant fait-il des câlins et des bisous à sa poupée ou sa peluche préférées ? ◯

37. Votre enfant aime-t-il poser pour la galerie ? ◯

38. Votre enfant vous apporte-t-il un livre pour que vous lui racontiez une histoire, ou la télécommande pour que vous allumiez la télévision ? ◯

39. Votre enfant tire-t-il sur vos vêtements lorsqu'il veut vous montrer quelque chose ? ◯

40. Votre enfant dit-il « Non » ou « Chaud » lorsqu'il s'approche de quelque chose qu'il ne doit pas toucher ? ◯

41. Votre enfant vous dit-il « Bonjour » ? ◯

42. Votre enfant dit-il « Bonjour » à vos amis ? ◯

43. Votre enfant fait-il ce qu'on lui dit de faire tout au moins une fois sur deux. ◯

44. Votre enfant dit-il « Merci » et « S'il te plaît » lorsque vous le lui rappelez ? ◯

45. Votre enfant essaie-t-il d'être serviable ? ○

46. Votre enfant pique-t-il des colères ? ○

47. Après une colère, votre enfant recouvre-t-il rapidement ses esprits et fait-il comme si rien ne s'était passé ? ○

48. Votre enfant aime-t-il se déguiser ? ○

49. Votre enfant aime-t-il faire semblant ? ○

50. Votre enfant est-il capable de faire un choix lorsque vous le lui demandez ? ○

51. Votre enfant comprend-il les mots « aimer » et « en colère » ? ○

52. Votre enfant danse-t-il et chante t-il ? ○

53. Votre enfant dit-il « Bonjour » sans que vous le lui demandiez ? ○

54. Votre enfant est-il capable de suivre des règles ? ○

55. Votre enfant vous demande-t-il la permission de faire quelque chose ? ○

56. Votre enfant parle-t-il au téléphone ? ○

57. Votre enfant est-il capable de respecter les règles d'un jeu ? ○

58. Votre enfant fait-il presque toujours ce qu'on lui demande (dans 75 % des cas) ? ○

59. Les colères de votre enfant sont-elles prévisibles ? ○

60. Votre enfant reste-t-il fâché après avoir « piqué » une colère ? ○

61. Votre enfant se met-il moins en colère qu'avant, c'est-à-dire il y a six mois ? ○

62. À la garderie, chez la gardienne ou à la maison, votre enfant bavarde-t-il avec les autres en jouant ? ○

63. Votre enfant demande-t-il de l'aide s'il en a besoin ? ○

64. Votre enfant participe-t-il aux conversations entre les membres de la famille ? ○

65. Votre enfant est-il serviable ? ○

66. Votre enfant connaît-il des comptines ?   ○

67. Votre enfant aime-t-il que vous lui racontiez des histoires mettant en scène des familles ?   ○

68. Votre enfant se plaît-il en compagnie d'autres enfants ?   ○

69. Votre enfant se montre-t-il exubérant lorsqu'il joue avec d'autres enfants ?   ○

70. Votre enfant sait-il comment se comporter en public ?   ○

71. Votre enfant se met-il de moins en moins en colère, voire plus du tout ?   ○

72. Votre enfant demande-t-il la permission avant d'utiliser des objets appartenant aux autres, ou tout au moins dans 75 % des cas ?   ○

73. Votre enfant exprime-t-il ce qu'il ressent ?   ○

74. Votre enfant sait-il expliquer à d'autres enfants comment jouer à un jeu donné ?   ○

75. Votre enfant participe-t-il aux conversations lorsque vous dînez en famille ?   ○

Récapitulatif

Un bébé dans la moyenne maîtrise les 36 premiers points au cours de la première année. À l'âge de cinq ans, il doit normalement arriver au point 70. Les progrès sont réalisés comme suit :

1 – 7	vers l'âge de 3 mois
8 – 14	vers l'âge de 6 mois
14 – 30	vers l'âge de 1 an
31 – 42	vers l'âge de 18 mois
43 – 56	vers l'âge de 2 ans
52 – 57	vers l'âge de 3 ans
58 – 62	vers l'âge de 4 ans
63 – 75	vers l'âge de 5 ans et plus

Liste de contrôle : manger

Cochez tout ce que votre enfant sait faire tout seul. L'ordre étant presque toujours le même chez tous les enfants, vous avez une idée des étapes que s'apprête à franchir votre fils ou votre fille. Une fois le test terminé, reportez-vous à la page 167.

1. Votre enfant mange à la cuillère si vous l'aidez. ○
2. Votre enfant boit au verre si vous l'aidez. ○
3. Votre enfant mange avec ses doigts. ○
4. Votre enfant tient son verre à deux mains et boit seul. ○
5. Votre enfant tient sa cuillère tout seul, mais a encore besoin que vous l'aidiez à manger. ○
6. Votre enfant mange tout seul avec une cuillère. ○
7. Votre enfant tient son verre à une main ou tient l'anse de son gobelet. ○
8. Votre enfant mange avec une cuillère et boit au verre à table, mais il renverse beaucoup de nourriture. ○
9. Votre enfant boit du jus de fruit avec une paille. ○
10. Votre enfant attrape les morceaux de nourriture dans son assiette avec une fourchette. ○
11. Votre enfant mange plus proprement. ○
12. Votre enfant essaie de couper des petits morceaux de nourriture avec une fourchette. ○
13. Votre enfant s'essuie la bouche avec une serviette. ○
14. Votre enfant verse du lait ou du jus de fruit dans son verre. ○
15. Votre enfant nettoie autour de son assiette. ○
16. Votre enfant débarrasse la table à la fin du repas. ○
17. Votre enfant utilise les bons ustensiles. ○
18. Votre enfant sait beurrer une tartine. ○

19. Votre enfant mange à table et se tient correctement
durant tout le repas. ○

20. Votre enfant se sert seul, si quelqu'un lui tient le plat. ○

21. Votre enfant vous aide à mettre la table et place correctement les couverts, les assiettes, les verres et les serviettes. ○

Récapitulatif

Un bébé dans la moyenne maîtrise les quatre-cinq premiers points
vers l'âge de un an, jusqu'aux points 8-9 vers l'âge de deux ans,
jusqu'aux points 13-14 vers l'âge de trois ans, 14 points vers l'âge
de quatre ans et 21 points vers l'âge de cinq ans.

Liste de contrôle : devenir propre

En règle générale, les filles sont propres plus tôt que les garçons.
Les problèmes d'énurésie sont plus fréquents dans certaines
familles que d'autres. Si vous avez mouillé votre lit jusqu'à un âge
avancé, il est probable que votre enfant fasse de même.

Cochez tout ce que votre enfant sait faire tout seul. L'ordre
étant presque toujours le même chez tous les enfants, vous avez
une idée des étapes que s'apprête à franchir votre fils ou votre fille.
Une fois le test terminé, reportez-vous à la page 169.

1. Votre enfant s'assoit sur le pot ou sur les toilettes et y
reste cinq minutes. ○

2. Votre enfant vous fait comprendre par des mots ou des
gestes qu'il veut aller aux toilettes. ○

3. Votre enfant sait utiliser un gant de toilette. ○

4. Votre enfant s'essuie les mains et le visage avec une
serviette. ○

5. Votre enfant demande à aller aux toilettes, mais il y a encore parfois des accidents. ◯

6. Votre enfant va sur le pot (pipi et caca) au moins trois fois par semaine. ◯

7. Votre enfant se brosse les dents, même si ce n'est pas encore parfait. ◯

8. Votre enfant a de moins en moins d'accidents, pas plus d'une fois par semaine. ◯

9. Votre enfant se lave les mains et le visage avec du savon. ◯

10. Votre enfant vous demande à aller aux toilettes suffisamment tôt pour éviter les accidents. ◯

11. Votre enfant est propre dans la journée ou du moins la plupart du temps. ◯

12. Votre enfant se lave les bras et les jambes sous la douche ou dans le bain. ◯

13. Votre enfant s'essuie le nez si vous le lui dites. ◯

14. Votre enfant peut ne pas mouiller son lit deux nuits par semaine. ◯

15. Votre fils fait pipi debout. ◯

16. Votre enfant se mouche si vous le lui dites. ◯

17. Votre enfant se brosse les dents correctement – si vous lui rappelez comment le faire. ◯

18. Votre enfant se lave les mains et le visage. ◯

19. Votre enfant se réveille et se lève la nuit pour aller aux toilettes. ◯

20. Votre enfant s'essuie le nez et se mouche sans que vous ayez besoin de le lui rappeler. ◯

21. Votre enfant prend son bain tout seul, mais a encore besoin d'aide pour se laver les oreilles et le cou. ◯

22. Votre enfant se brosse les dents sans que vous ayez besoin de le lui dire. ◯

23. Votre enfant va aux toilettes dès qu'il en éprouve le besoin, baisse sa culotte, s'essuie, tire la chasse d'eau et se lave les mains. ○

24. Votre enfant se brosse et se peigne les cheveux (même s'ils sont longs). ○

25. Votre enfant lace ses chaussures ou sait remonter les fermetures. ○

Récapitulatif

Un bébé dans la moyenne maîtrise les deux premiers points vers l'âge de deux ans, jusqu'au point 12 vers l'âge de trois ans, au point 17 vers l'âge de quatre ans et au point 25 vers l'âge de cinq ans.

Liste de contrôle : s'habiller

En règle générale, les filles s'habillent toutes seules plus tôt que les garçons ; elles sont plus rapidement adroites de leurs mains, mais il peut toujours y avoir des exceptions. Il y a plus de différences entre les filles qu'il y en a entre les filles et les garçons. La pratique et le mimétisme sont deux éléments fondamentaux. Les enfants élevés dans des familles ayant une certaine ouverture d'esprit sont autonomes plus jeunes que les autres, tout comme les enfants ayant des frères et des sœurs plus âgés qu'eux. Comme toujours, les enfants ont besoin de pratiquer pour apprendre.

Cochez tout ce que votre enfant sait faire tout seul. L'ordre étant presque toujours le même chez tous les enfants, vous avez une idée des étapes que s'apprête à franchir votre fils ou votre fille. Une fois le test terminé, reportez-vous à la page 171.

1. Votre enfant tend ses bras et ses jambes lorsque vous l'habillez. ○

2. Votre enfant met son chapeau sur sa tête et l'enlève. ○

3. Votre enfant enlève ses chaussettes. ○

4. Votre enfant glisse ses bras dans les manches de son chandail quand vous le lui demandez. ○

5. Votre enfant retire ses chaussures lorsque les lacets sont défaits ou que la fermeture éclair est ouverte. ○

6. Votre enfant enlève son manteau lorsque les boutons sont défaits ou que la fermeture éclair est baissée. ○

7. Votre enfant enlève son pantalon (ouvrez les fermetures éclair et défaites les boutons si besoin est). ○

8. Votre enfant monte et baisse la fermeture éclair de son blouson – il est possible qu'il ait besoin d'aide au départ. ○

9. Votre enfant met ses chaussures. ○

10. Votre enfant se déshabille, mais si vous avez défait les boutons et ouvert les fermetures. ○

11. Votre enfant accroche son manteau sur un portemanteau à sa hauteur. ○

12. Votre enfant défait les boutons-pression. ○

13. Votre enfant met ses chaussettes. ○

14. Votre enfant sait mettre son manteau, son chandail et sa chemise. ○

15. Votre enfant sait mettre son T-shirt. ○

16. Votre enfant s'habille sans que vous ayez à le lui dire, mais a quelquefois besoin d'aide pour fermer les boutons et remonter les fermetures éclair. ○

17. Votre enfant sait fermer les boutons-pression et mettre les crochets. ○

18. Votre enfant sait mettre ses mitaines. ○

19. Votre enfant sait enlever les boutons et fermer les gros boutons lorsque son manteau est posé à plat sur une table. ◯

20. Votre enfant met ses bottes tout seul. ◯

21. Votre enfant boutonne et déboutonne ses vêtements. ◯

22. Votre enfant arrive à remonter les fermetures éclair tout seul. ◯

23. Votre enfant sait s'habiller complètement tout seul sans être arrêté par les boutons-pression, les crochets, les boutons et les fermetures éclair. ◯

24. Votre enfant choisit ses vêtements en fonction du temps ou des activités pratiquées. ◯

25. Votre enfant sait lacer ses chaussures. ◯

Récapitulatif

Un bébé dans la moyenne maîtrise les sept premiers points vers l'âge de deux ans, jusqu'au point 19 vers l'âge de trois ans, jusqu'au point 20 vers l'âge de quatre ans et les 25 points vers l'âge de cinq ans.

Dix points fondamentaux pour aider votre enfant à bien se développer

1. Montrez toujours le bon exemple lorsque vous êtes à table : utilisation des couverts, d'une serviette, etc.

2. Encouragez les bébés à manger seuls et les enfants qui commencent à marcher à s'habiller seuls, même si cela prend du temps. Pour acquérir leur indépendance, les enfants doivent apprendre à faire seuls les choses et être encouragés.

3. Prenez le temps de montrer à votre enfant comment mettre ses chaussettes, ses chaussures, son manteau et son pantalon. Montrez-lui comment accrocher son manteau au portemanteau et comment ranger ses jouets. Si vous faites toujours tout à sa place, pourquoi aurait-il besoin d'apprendre ?

4. Les enfants ne peuvent pas organiser des pensées complexes ou abstraites, c'est pourquoi vous devez les encourager à faire semblant. Lorsque votre enfant se déguise et imite les adultes, il réfléchit aux rôles que chacun joue dans la vie et, de ce fait, il comprend mieux que chaque individu est différent.

5. Les parents sont les personnages les plus importants dans la vie des enfants. Votre enfant doit apprendre que vous ne partagez pas ses pensées et que vous ne ressentez pas ce qu'il ressent. Et la meilleure façon pour lui d'en prendre conscience est d'imiter ses parents, mais aussi toutes les personnes de son entourage – le jardinier, la gardienne, le boulanger, etc. – et d'associer des objets à chaque personne – des lunettes, des talons hauts, une toque, etc.

6. Encouragez votre enfant afin qu'il jongle avec les idées. Demandez-lui son opinion afin qu'il réalise que tout le monde pense différemment.

7. Laissez votre enfant s'exprimer dans la mesure où il ne dépasse pas les limites imposées.

8. Aimez votre enfant pour ce qu'il est et non pour ce qu'il fait. Et lorsqu'il agit mal, critiquez ce qu'il fait et non ce qu'il est afin que, dans certaines circonstances, il comprenne qu'il n'est pas gentil et que vous réprouvez ses agissements, mais que vous n'arrêtez pas de l'aimer pour autant. Quoi qu'il fasse, aimez-le.

9. Les garçons doivent apprendre à acquérir leur identité : ils sont nés garçons, ils sont des garçons et le resteront toujours. Mais que veut dire être un homme ? Les petits garçons ont tendance à se confiner à des activités ayant un petit côté macho : le football, la bagarre et les héros aux dons multiples, ce qui ne veut nullement dire que tous les hommes sont des machos. Les filles doivent également prendre conscience de leur identité sexuelle : elles sont nées filles, elles sont des filles et le resteront toujours. Mais que veut dire être une femme ? Aujourd'hui, les différences entre les sexes sont moins marquées, que ce soit au travail ou à la maison avec notamment le partage des tâches ménagères. Les petites filles ont tendance à être plus féminines et à se consacrer à des activités plus calmes et réfléchies : stéréotypes que l'on retrouve ni plus ni moins chez la poupée Barbie, ce qui ne veut pas dire qu'elles seront toutes sophistiquées à l'âge adulte. Les enfants voient tout en blanc ou en noir et, en grandissant, ils s'aperçoivent que s'il existe des différences entre les hommes et les femmes, elles ne sont pas si grandes que cela.

10. Les histoires et les expériences partagées permettent aux enfants de jouer à faire semblant et de se construire. Si votre enfant joue avec d'autres enfants, assurez-vous qu'il y a des échanges et encouragez-le à privilégier les jeux basés sur l'expérience.

Chapitre 5

Définissez le tempérament de votre enfant

Pour célébrer son anniversaire, Pierre a invité les petits garçons qu'ils côtoient à la garderie. Lorsqu'ils arrivent, tous n'ont pas le même comportement. Julien et Michaël se débarrassent littéralement du cadeau qu'ils ont apporté et se ruent vers le jardin. Même chose pour Marc qui enfourche le tricycle et Paul qui se dirige vers la structure gonflable. Nicolas, quant à lui, refuse de donner son cadeau et son père doit faire preuve de persuasion pour qu'il accepte enfin de rejoindre les autres enfants. Vincent s'accroche à son père et veut retourner chez lui. Romain se tient à l'écart et commence à jouer avec les voitures de Pierre. Stéphane cherche Tristan (son meilleur ami) dont il ne se séparera qu'une fois la fête terminée.

La manière dont se comportent ces enfants n'est pas le fruit du hasard. Si nous avions été là le premier jour où ils sont allés à la garderie ou s'il nous était possible de les observer à chaque fois qu'ils sont invités chez un petit copain, nous verrions qu'ils se comportent pratiquement toujours de la même façon. Dès lors qu'ils sont confrontés à une situation nouvelle, les enfants ne dévoilent qu'une partie d'eux-mêmes, et c'est cette partie qui les différencie les uns des autres. Nous parlons du « caractère unique » d'un enfant, puis, lorsqu'il grandit, de sa personnalité.

Si, avant d'avoir des enfants, la plupart d'entre nous pensions que la vie les façonnait, les rendant téméraires ou timides, sociables ou introvertis, dès que nous sommes devenus parents, nous avons été nombreux à reconnaître que la majorité de leurs traits de caractère se manifestent dès leur plus jeune âge; une constatation d'ailleurs confirmée par différentes études.

Le tempérament est la manière d'être d'un enfant; l'ensemble de ses réactions face aux situations qu'il expérimente. L'enfant réagit toujours de la même façon à une situation donnée et sa réaction ne change pas au fur et à mesure qu'il grandit. Différents « aspects » entrent en ligne de compte :

- La façon dont chacun gère ses émotions; l'équilibre de l'humeur par rapport aux sautes d'humeur, notamment en termes de fréquence et d'intensité.
- Les niveaux d'activité; le rapport entre l'activité et l'inactivité chez un enfant et ce que nous appellerons l' « énergie agitée » ou « sans répit » d'un enfant.
- La « réactivité de l'attention » : le fait qu'un enfant se laisse distraire par une stimulation extérieure alors qu'il fait quelque chose ou la rapidité avec laquelle il se désintéresse de ce qu'il est en train de faire.
- L'autorégulation : la régularité des processus biologiques de base tels que le sommeil, l'acuité, la faim ou la digestion.

Les filles et les garçons sont-ils différents ?

En dépit de préjugés tenaces, on note très peu de différences de tempérament entre les bébés filles ou garçons. Les garçons sont plus sujets aux maladies et le taux de mortalité infantile est plus élevé chez les garçons. Par ailleurs, les garçons sont également plus touchés par les accidents; si un frère et une sœur sont attachés dans leur siège-auto respectif, le garçon a plus de risques d'être blessé lors d'un accident que sa sœur assise à ses côtés. Cette vulnérabilité, qui se traduit aussi une espérance de vie plus courte, a cependant une explication scientifique : la testostérone. C'est la présence de cette hormone sécrétée par les testicules qui fait que la durée de vie des hommes est, en moyenne, inférieure de quatre ans à celle des femmes. Si les hommes étaient castrés, ils vivraient aussi longtemps que les femmes (les chats castrés vivent bien aussi longtemps que les chattes !). Cela dit, je suis persuadée que la majorité de ces messieurs pensent que le jeu n'en vaut pas la chandelle ! La vulnérabilité dépasse, toutefois, le stade de l'espérance de vie. En effet, tout comme la maladie a une influence sur l'humeur, la vulnérabilité a une influence sur le tempérament. Les garçons sont souvent un peu plus actifs et plus turbulents que les filles, mais, encore une fois, cette différence est peu marquée. Il y a probablement plus de différences entre les filles et entre les garçons qu'entre les filles et les garçons. Les filles, quant à elles, ne sont pas tout sucre et tout miel : il y a autant de filles difficiles que de garçons difficiles. Par ailleurs, tous les garçons ne sont pas hyperactifs et n'ont pas tous des problèmes de concentration, même s'ils sont plus nombreux à l'être.

Inné ou acquis ?

Des études portant sur le développement de jumeaux ont montré d'étonnantes similitudes entre le niveau d'activité, l'émotivité (l'intensité des réactions et la qualité de l'humeur), la sociabilité (la prudence ou la facilité avec laquelle un enfant s'adapte à de nouvelles personnes) et la capacité à réagir (ce qui inclut la durée d'attention, la persévérance et le fait de se laisser distraire).

Toutefois, même si certains éléments qui font que nous sommes ce que nous sommes aujourd'hui étaient déjà en nous à la naissance, affirmer que tout est écrit et défini dès le départ est une grossière erreur. La vie peut nous changer : les choses ne sont jamais immuables et nous évoluons tout au long de notre existence.

Nous savons que ce que nous vivons dans la petite enfance influence considérablement notre devenir.

Si nous nous penchons sur la vie de certains adultes malheureux et/ou méfiants vis-à-vis d'autrui, nous nous apercevons que leur tempérament a été forgé à cause d'une série d'événements qui se sont succédé depuis leur petite enfance.

Pour prendre un cas extrême, il est peu probable qu'un enfant ayant subi des sévices physiques et sexuels en ressorte indemne et devienne un adulte heureux et insouciant. Néanmoins, les adultes malheureux n'ont pas tous eu une enfance difficile. Parfois, rien n'explique leur détresse et un constat s'impose : « Ils sont comme ça parce qu'ils sont comme ça. »

Même si ce n'est pas sciemment, les parents, selon l'attention qu'ils accordent à leur enfant, l'encouragent parfois à faire des choses dont, *a priori*, ils se passeraient bien.

Par exemple, ils crient contre un enfant turbulent qui court dans la pièce, mais ils l'ignorent s'il est sagement assis devant le téléviseur. Ils évitent de contrarier un enfant difficile afin de ne pas avoir à supporter ses crises. En un mot, de l'humeur (ou des sautes d'humeur) de l'enfant dépendent les réactions de tous les membres de la famille.

Les parents d'un enfant difficile auront tendance à satisfaire plus rapidement ses exigences que celles de ses frères et sœurs plus calmes afin de ne pas « faire de vagues ».

De plus, dans la vie trépidante que nous menons tous aujourd'hui, un enfant au comportement désagréable attire davantage l'attention qu'un enfant sage et facile, d'autant que, lorsqu'il s'assagit, les regards ne sont plus tournés vers lui.

Les pères et les mères qui ont du mal à gérer leur vie et qui sont épuisés du matin au soir doivent faire des efforts surhumains afin de ne pas tomber dans le piège et perdre pied.

Ces considérations concernent davantage un enfant difficile. En effet, un enfant exigeant, émotif et souvent malheureux se comporte généralement mal avec ses parents qui recherchent toutes les occasions pour se libérer de leurs obligations et se garder un peu de temps « rien que pour eux ».

Même si, dans ce cas de figure, la dernière chose que veulent les parents, c'est pousser leur enfant à être encore plus exigeant, c'est ce qu'ils induisent.

Les enfants en bas âge ne peuvent survivre sans leurs parents ; ils doivent s'assurer qu'ils occupent toutes leurs pensées, que leurs parents sont là pour prendre soin d'eux, les protéger et éviter qu'ils souffrent. Qu'un enfant veuille sans cesse capter toute l'attention de son père et de sa mère est tout à fait normal. Si les parents s'occupent de lui lorsqu'il fait remarquer sa présence et le délaissent lorsqu'il est calme et gentil, ils l'encouragent à adopter un comportement désagréable. On récolte ce que l'on sème.

Certains traits du tempéraments sont innés, d'autres sont acquis ; les deux étant, toutefois, intimement liés. Mais ce n'est pas tout. Le tempérament dépend probablement d'un autre facteur, à savoir ce que l'enfant attend de lui-même et ce que sa famille (et plus tard la société) attend de lui. Les enfants font ce qu'ils pensent devoir faire et ce qu'ils attendent d'eux-mêmes.

Une étude a montré que les enfants auxquels on disait qu'ils savaient parfaitement ranger leur chambre avaient une chambre beaucoup plus en ordre que ceux auxquels on disait – ou auxquels on montrait – comment ranger une chambre.

Plus surprenant, peut-être, les enfants auxquels on laissait entendre qu'ils étaient bons en mathématiques (même si cela était faux) obtenaient de meilleurs résultats que les enfants qui prenaient des cours de soutien en mathématiques.

Dans le cadre d'une étude menée dans les années 1960 (étude qui ne pourrait plus avoir lieu aujourd'hui), des chercheurs ont dit à des professeurs que certains de leurs élèves étaient brillants, et que d'autres étaient limités intellectuellement. En fait, les chercheurs avaient collé au hasard l'étiquette « brillant » ou « limité » sur chacun des élèves ; aucun test préalable n'avait été fait pour déterminer le QI des enfants.

Quoi qu'il en soit, à la fin de l'année scolaire, les enfants dits « brillants » étaient en tête de classe, alors que les enfants dits « limités » avaient obtenu les moins bons résultats : les enfants avaient fait ce qu'ils pensaient être capables de faire, à leurs yeux, mais aux yeux de leur professeur.

Ce type d'expérience est également valable dans le domaine de la santé. Si nous pensons qu'un médicament marchera, il marchera. Tous les laboratoires font des expériences avec des placebos : des médicaments n'ayant aucun principe actif. Or, environ un tiers des patients ayant recours au placebo se sentent mieux à la fin du traitement parce que c'est ce que l'on attend d'eux.

Si cette constatation est valable pour les mathématiques, pour les aptitudes scolaires et les problèmes de santé, il y a de fortes chances qu'elle le soit pour tout ce qui a trait au comportement humain. Un enfant qui pense être un enfant difficile a toutes les chances de le rester ou de devenir encore plus difficile, même chose pour un enfant facile.

Tout cela tend à prouver que bien que la manière dont les enfants se comportent au cours des premières semaines qui suivent leur naissance laisse souvent présumer le comportement qu'ils auront plus tard, cela ne signifie ni que les enfants ne changent pas – ou ne peuvent pas changer – ni que la nature des enfants est écrite noir sur blanc dans leur patrimoine génétique.

Le fait que des bébés difficiles deviennent des adultes difficiles dépend également de ce que nous attendons (et de ce qu'ils attendent) d'eux et de la manière dont nous réagissons face à leur comportement.

Le premier test proposé ci-dessous a pour but de vous aider à définir le tempérament de votre enfant. Le test s'inspire d'une étude menée par Alexander Thomas et Stella Chess sur un grand nombre d'enfants américains durant plusieurs années. Le test présente des variantes selon qu'il s'agit de bébés (entre 0 et 14 mois), de bambins (entre 14 et 30 mois) ou d'enfants d'âge préscolaire (entre 30 mois et 5 ans).

 ## Définir le tempérament de votre bébé

1. Déjà, dans l'utérus, votre bébé remuait et donnait beaucoup de coups de pieds.

a) Faux. ○

b) Vrai. ○

c) Ni tout à fait vrai ni tout à fait faux. ○

2. Lorsqu'il est réveillé, votre enfant est généralement assez agité.

a) Vrai. ○

b) Faux. ○

c) Ni tout à fait vrai ni tout à fait faux. ○

3. Souvent, lorsque vous prenez votre enfant dans vos bras, il se tortille jusqu'à ce que vous le reposiez.

a) Faux. ○

b) Vrai. ○

c) Ni tout à fait vrai ni tout à fait faux. ○

4. Dès que votre enfant a su se déplacer à quatre pattes (ou marcher), il s'est toujours activé rapidement.

a) Faux. ○

b) Vrai. ○

c) Ni tout à fait vrai ni tout à fait faux. ○

5. Tout petit, votre enfant aimait contempler le mobile suspendu au-dessus de son lit pendant de longs moments.

a) Vrai. ○

b) Faux. ○

c) Ni tout à fait vrai ni tout à fait faux. ○

6. Lorsqu'il est assis sur son tapis de jeu :

a) il joue pendant un long moment avec son jouet préféré ; ○

b) il se désintéresse rapidement d'un jouet, en prend un autre, puis le laisse pour un autre, et ainsi de suite ; ○

c) il joue parfois pendant un long moment avec le même jouet, mais rarement. ○

7. Votre enfant s'ennuie rapidement.

a) Faux. ○

b) Vrai. ○

c) Ni tout à fait vrai ni tout à fait faux. ○

8. Lorsque votre enfant pleure, il est facile de détourner son attention.

a) Vrai. ○

b) Faux. ◯

c) Ni tout à fait vrai ni tout à fait faux. ◯

9. Votre enfant peut dormir n'importe où.

a) Vrai. ◯

b) Faux : il doit être au calme. ◯

c) Ni tout à fait vrai ni tout à fait faux. ◯

10. Qu'est-ce qui décrit le mieux les humeurs de votre enfant ?

a) C'est un bébé souriant qui ne pleure jamais bien
longtemps. ◯

b) Il ressent fortement les choses, il crie pour exprimer
sa joie, mais aussi sa colère. ◯

c) Il oscille entre les deux états. ◯

11. Mis à part lorsqu'il est malade, votre enfant pleure :

a) très rarement ; ◯

b) beaucoup ; ◯

c) moyennement. ◯

12. Comment décririez-vous votre enfant ?

a) Facile à vivre. ◯

b) Difficile. ◯

c) Timide. ◯

13. Lorsque votre enfant se fait mal :

a) il pleure ou gémit, mais vous arrivez à le consoler
rapidement ; ◯

b) il crie et pleure à chaudes larmes, et refuse parfois que
vous le consoliez ; ◯

c) il pleure et attend que vous le consoliez. ◯

14. Lorsque votre enfant est malheureux :

a) il pleurniche, il est triste, mais vous pouvez le consoler facilement ; ○

b) il vous le fait savoir ! Il pleure à chaudes larmes et il est souvent inconsolable ; ○

c) il pleure, mais vous pouvez le consoler assez facilement. ○

15. Lorsque votre enfant est effrayé ou en colère :

a) il est relativement facile de le rassurer ou de l'apaiser ; ○

b) il est inconsolable ; ○

c) il est assez difficile de le rassurer ou de le calmer. ○

16. Lorsque vous faites sauter votre enfant sur vos genoux :

a) il rit et, rapidement, vous fait savoir qu'il veut que vous continuiez ; ○

b) il crie en riant aux éclats et en redemande ; ○

c) il est d'abord mal à l'aise, puis il rit et en redemande. ○

17. Lorsque vous présentez un nouvel aliment à votre enfant :

a) il fait la lippe, mais accepte d'y goûter ; ○

b) il le recrache aussitôt ; ○

c) il le recrache, mais le mange si vous le mélangez à un autre aliment. ○

18. Vers l'âge de quatre mois :

a) il souriait aux inconnus et était heureux d'aller avec des personnes qu'il connaissait peu ; ○

b) il se méfiait des inconnus et protestait si des personnes autres que celles qui s'occupaient de lui au quotidien faisaient mine de le prendre ; ○

c) il se montrait d'abord méfiant, mais il était content d'aller avec une tierce personne dès qu'il la connaissait un peu. ○

19. Dès que la routine change un tant soit peu, il réagit:

a) plutôt positivement; ⚪

b) de manière négative; ⚪

c) avec prudence d'abord, puis de manière positive. ⚪

20. Votre enfant se réveille:

a) si un bruit fort se fait entendre; ⚪

b) au moindre bruit; ⚪

c) si un bruit relativement fort se fait entendre. ⚪

21. Votre enfant met du temps avant de vous dire que quelque chose ne va pas.

a) Vrai. Il ne pleure jamais lorsque sa couche est mouillée; même s'il est un peu plus agité quand il est malade, il demeure relativement de bonne compagnie. ⚪

b) Faux. Il n'aime pas que sa couche soit mouillée et il le fait savoir lorsqu'il est malheureux ou que quelque chose ne va pas. ⚪

c) Ni *a*) ni *b*) ne correspondent vraiment à sa situation. ⚪

22. Si votre enfant trébuche et tombe sur la moquette:

a) il se relève tout seul; ⚪

b) il pleure et attend que quelqu'un le relève; ⚪

c) il pleurniche, mais se relève tout seul. ⚪

23. Vous n'avez eu aucun mal à lui faire manger des aliments solides.

a) Vrai. ⚪

b) Faux. Ce fut une longue bataille. ⚪

c) Ce ne fut pas facile, mais pas non plus très difficile. ⚪

24. Pendant les vacances ou lorsque vous passez la fin de semaine chez des amis ou des membres de votre famille :

a) il est content ; ○

b) il n'est pas content ; ○

c) il est d'abord mécontent, puis tout rentre dans l'ordre. ○

25. Comment diriez-vous que votre enfant réagit face à une nouvelle situation ?

a) Il s'adapte. ○

b) Il réagit violemment. ○

c) Il agit avec prudence. ○

26. Confier votre enfant à une nouvelle gardienne :

a) n'a jamais posé problème ; ○

b) a pratiquement toujours été impossible ; ○

c) s'avère toujours difficile au début, mais, dès qu'il connaît un peu la personne, tout se passe bien. ○

27. Votre enfant faisait pratiquement ses nuits :

a) avant même d'avoir quatre mois ; ○

b) rarement, voire jamais, avant l'âge de un an ; ○

c) avant d'avoir huit ou neuf mois. ○

28. Votre enfant fait ses besoins :

a) pratiquement tous les jours à la même heure ; ○

b) de manière très irrégulière ; ○

c) plus ou moins toujours à la même heure. ○

29. Dans la journée, votre enfant dort :

a) à des heures régulières ; ○

b) à des heures irrégulières ; ○

c) à des heures régulières ou irrégulières, cela dépend des jours. ○

30. À l'heure des repas, votre enfant a généralement le même appétit et mange presque toujours la même quantité de nourriture.

a) Vrai. ◯

b) Faux. ◯

c) Cela dépend des jours. ◯

 ## Définir le tempérant de votre bambin

1. Depuis qu'il sait courir, votre enfant ne marche plus.

a) Faux. ◯

b) Vrai. ◯

c) Ni tout à fait vrai ni tout à fait faux. ◯

2. Lorsque votre enfant est réveillé, une partie de son corps (un orteil, un bras) ou tout son corps bougent.

a) Faux. ◯

b) Vrai. ◯

c) Ni tout à fait vrai ni tout à fait faux. ◯

3. Si votre enfant a le choix :

a) il regarde une vidéo ou s'assoit et feuillette un livre ; ◯

b) il grimpe sur son vélo ou pousse son trotteur ; ◯

c) il joue avec sa dînette ou avec ses petites voitures en imitant le bruit du moteur. ◯

4. Si votre enfant avait le choix, il passerait plus de temps à regarder la télévision.

a) Vrai. ◯

b) Faux. ◯

c) Ni tout à fait vrai ni tout à fait faux. ◯

5. Lorsque votre enfant est assis avec ses jouets:

a) il joue avec plaisir avec le même jouet pendant un long
moment; ⭘

b) il se désintéresse rapidement du jouet, en prend un
autre qu'il a tôt fait d'abandonner pour un autre,
et ainsi de suite; ⭘

c) il lui arrive de jouer assez longtemps avec un même
jouet, mais rarement. ⭘

**6. Comparativement aux autres enfants de son âge, votre enfant
passe plus rapidement d'une activité à une autre.**

a) Faux. ⭘

b) Vrai. ⭘

c) Peut-être un peu plus que les autres enfants. ⭘

7. Lorsque vous montrez un livre à votre enfant:

a) il se concentre immédiatement; ⭘

b) il est impatient de tourner les pages; ⭘

c) il veut tourner les pages, mais il aime contempler
certaines images plus longtemps que d'autres. ⭘

**8. Au supermarché, lorsque votre enfant veut du chocolat, il est
facile de détourner son attention.**

a) Faux. ⭘

b) Vrai. ⭘

c) Ni tout à fait vrai ni tout à fait faux. ⭘

**9. Si vous lui retirez un jouet, votre enfant a tôt fait de s'amuser
avec un autre jouet.**

a) Faux. ⭘

b) Vrai. ⭘

c) Ni tout à fait vrai ni tout à fait faux. ⭘

10. Si vous dites «Non» à votre enfant, il passe rapidement à autre chose.

a) Faux. ◯

b) Vrai. ◯

c) Ni tout à fait vrai ni tout à fait faux. ◯

11. Comment décririez-vous ses colères?

a) Brèves et rares, soit moins d'une colère par jour. ◯

b) Longues et nombreuses, soit plus de deux par jour. ◯

c) Courtes mais fréquentes, soit pratiquement une par jour. ◯

12. Qu'est-ce qui décrit le mieux les humeurs de votre enfant?

a) Il est toujours content et ses colères ne durent jamais bien longtemps. ◯

b) Il ressent intensément les choses, il crie pour exprimer sa joie ou sa colère. ◯

c) Il oscille toujours entre *a*) et *b*). ◯

13. Comment décririez-vous votre enfant au cours d'une journée typique?

a) Calme et épanoui. ◯

b) Manifeste ses humeurs et a du caractère. ◯

c) Timide et prudent. ◯

14. Lorsque votre enfant se blesse:

a) il crie et gémit, mais vous pouvez facilement le consoler; ◯

b) il crie et pleure à chaudes larmes et refuse parfois que vous le consoliez; ◯

c) il pleure, mais a besoin que vous le réconfortiez. ◯

15. Le matin, votre enfant joue, mais si vous avez besoin de sortir avec lui :

a) il proteste, mais finit par obtempérer ;　　　　　　　　○

b) il est en colère et refuse d'obtempérer ;　　　　　　　　○

c) il est renfrogné et refuse d'obtempérer.　　　　　　　　○

16. Lorsque vous poursuivez votre enfant dans une pièce ou lorsque vous le laissez sauter du canapé :

a) il rit et vous demande rapidement de recommencer ;　　○

b) il crie en riant aux éclats et en redemande ;　　　　　　○

c) si le jeu est nouveau, il est d'abord mal à l'aise, puis il rit et en redemande.　　　　　　　　　　　　　　　　　　○

17. Si votre enfant ne réussit pas à mettre ses chaussettes :

a) il est contrarié ;　　　　　　　　　　　　　　　　　　○

b) il se met en colère ;　　　　　　　　　　　　　　　　　○

c) soit l'un soit l'autre.　　　　　　　　　　　　　　　　○

18. Lorsque votre enfant est effrayé ou en colère :

a) vous parvenez à le rassurer ou à le calmer rapidement ;　○

b) il est inconsolable ;　　　　　　　　　　　　　　　　　○

c) il est difficile de le rassurer ou de le calmer.　　　　　　○

19. Votre enfant est-il parfois surexcité ?

a) Oui, notamment s'il est fatigué ou en compagnie d'autres enfants.　　　　　　　　　　　　　　　　　　　　　　　○

b) Oui.　　　　　　　　　　　　　　　　　　　　　　　○

c) Non.　　　　　　　　　　　　　　　　　　　　　　　○

20. Votre enfant se réveille :

a) au son d'un bruit fort ;　　　　　　　　　　　　　　　　○

b) au moindre bruit ;　　　　　　　　　　　　　　　　　　○

c) au son d'un bruit relativement fort.　　　　　　　　　　○

21. Votre enfant ne s'endort pas s'il y a du bruit.

a) Faux. ○

b) Vrai. Il ne s'endort qu'au calme, et les rideaux doivent
être tirés. ○

c) Ni tout à fait vrai ni tout à fait faux. ○

22. Votre enfant met du temps avant de vous dire que quelque chose ne va pas.

a) Vrai. Il ne pleure jamais lorsque sa couche est mouillée
et même s'il est un peu plus agité lorsqu'il est malade,
il demeure de bonne compagnie. ○

b) Faux. Il ne supporte pas que sa couche soit mouillée
et il n'est pas content quand quelque chose ne va pas. ○

c) Ni tout à fait vrai ni tout à fait faux. ○

23. Lorsque votre enfant trébuche et tombe dans le jardin :

a) il se relève tout seul ; ○

b) il hurle et attend que quelqu'un vienne le relever ; ○

c) il crie, mais il a tôt fait d'oublier sa chute et de passer
à autre chose. ○

24. Dès que la routine change un tant soit peu, il réagit :

a) plutôt positivement ; ○

b) de manière négative ; ○

c) d'abord avec prudence, puis de manière positive. ○

25. Votre enfant mange :

a) pratiquement tout ce que vous lui proposez ; ○

b) très peu de choses ; ○

c) les aliments qu'il ne connaît pas, même s'il est d'abord
méfiant. ○

26. Pour ce qui est du sommeil, votre enfant:

a) se couche et se lève pratiquement tous les jours à la même heure ; ○

b) ne dort pas à heures régulières ; ○

c) dort pratiquement toujours à des heures régulières, quoiqu'il lui arrive de se réveiller le soir ou durant la nuit. ○

27. Dans la journée, votre enfant fait la sieste:

a) toujours à la même heure (ou ne la fait plus) ; ○

b) jamais à la même heure ; ○

c) à différents moments, selon les jours. ○

28. À l'heure des repas, votre enfant a généralement le même appétit et mange presque toujours la même quantité de nourriture.

a) Vrai. ○

b) Faux. ○

c) Cela dépend des jours. ○

29. Pendant les vacances ou lorsque vous passez la fin de semaine chez des amis ou des membres de votre famille:

a) il est content ; ○

b) il n'est pas content ; ○

c) il est d'abord mécontent, puis tout rentre dans l'ordre. ○

30. Combien de temps faut-il à votre enfant pour qu'il aille vers des enfants qu'il vient de rencontrer?

a) Très peu de temps. ○

b) Très très longtemps (parfois il ne va pas vers eux). ○

c) Le temps d'apprendre à les connaître. ○

Définir le tempérant de votre enfant d'âge préscolaire

1. Dans une aire de jeux, votre enfant est attiré :

a) par le tas de sable ; ◯

b) par les structures sur lesquelles il peut grimper ; ◯

c) par les balançoires. ◯

2. Lorsque votre enfant arrive à la garderie, il a tendance à :

a) se diriger vers une table d'activités et à discuter avec ses amis ; ◯

b) chercher un vélo et à faire un tour de piste ; ◯

c) rejoindre les enfants dans le coin jeux ou le coin bibliothèque. ◯

3. Lorsque vous courez avec des amis, votre enfant :

a) se joint à vous, rit et crie ; ◯

b) crie et rit aux éclats et court de plus en plus vite ; ◯

c) est un peu timoré si le jeu est nouveau, mais rit et se mêle rapidement au jeu, avec joie. ◯

4. Lorsque votre enfant regarde la télévision ou est à table :

a) il reste assis sans bouger jusqu'à ce que l'émission ou le repas soient terminés ; ◯

b) il s'agite et se trémousse sur son siège ; ◯

c) il reste parfois assis bien sagement, mais cela ne dure jamais bien longtemps. ◯

5. Votre enfant se couche et se lève :

a) pratiquement toujours à la même heure (à une heure près) ; ◯

b) à n'importe quelle heure ; ◯

c) à des heures relativement régulières. ◯

6. Votre enfant fait-il ses besoins :

a) pratiquement tous les jours à la même heure ? ◯

b) à des heures irrégulières ? ◯

c) à des heures différentes, selon les jours ? ◯

7. Quelle quantité de nourriture votre enfant mange-t-il au repas ?

a) Tout ce qui se trouve dans son assiette : une quantité bien définie. ◯

b) Cela dépend des jours et des repas. ◯

c) Toujours la même quantité, à quelques exceptions près. ◯

8. Avez-vous des difficultés à faire goûter un nouvel aliment à votre enfant ?

a) Non. ◯

b) Oui. Beaucoup. ◯

c) Pas particulièrement. ◯

9. Lorsque votre enfant a commencé à aller à la garderie ou chez la gardienne :

a) avez-vous dû l'encourager, dans un premier temps, jusqu'à ce que tout rentre dans l'ordre ? ◯

b) en a-t-il fait toute une histoire, c'est-à-dire que les choses n'ont pas été faciles ? ◯

c) avez-vous dû l'encourager, puis, au bout de quelques jours, tout s'est réglé ? ◯

10. Votre enfant joue-t-il spontanément avec des enfants qu'il vient de rencontrer ?

a) Oui. ◯

b) Non. Il a du mal à faire de nouvelles rencontres. ◯

c) Il se montre prudent, mais il joue avec eux dès qu'il a appris à les connaître. ◯

11. Si votre enfant empile des cubes et que la tour tombe:

a) il recommence;   ○

b) il donne un coup de pied dans les cubes et les envoie
aux quatre coins de la pièce;   ○

c) il recommence, si vous l'y encouragez.   ○

12. Comparativement aux autres enfants de son âge, comment se comporte votre enfant, dès lors qu'il s'installe pour dessiner, faire de la pâte à modeler ou toute autre activité similaire?

a) Plutôt mieux.   ○

b) Plutôt moins bien.   ○

c) Il est dans la moyenne.   ○

13. Si un enfant prend le jouet avec lequel jouait votre enfant et refuse de le lui rendre, votre enfant:

a) trouve un autre jouet avec lequel s'amuser;   ○

b) s'accroche au jouet, crie et refuse tout autre objet;   ○

c) proteste et essaie de reprendre son jouet, mais se fait
rapidement une raison et passe à autre chose.   ○

14. Diriez-vous de votre enfant:

a) que sa coupe est généralement à moitié pleine; qu'il est
le plus souvent content et satisfait?   ○

b) que sa coupe est généralement à moitié vide; qu'il est
souvent irritable et mécontent?   ○

c) que sa coupe n'est ni pleine ni vide; qu'il est toujours
entre les deux?   ○

15. Votre enfant est-il souvent mécontent et d'humeur maussade?

a) Non, rarement.   ○

b) Oui, fréquemment.   ○

c) Relativement souvent.   ○

16. Votre enfant s'énerve-t-il souvent?

a) Rarement. ○

b) Tous les jours. ○

c) Relativement souvent. ○

17. Lorsque votre enfant est en vacances, est-il:

a) heureux? ○

b) agité, collé à vous et relativement difficile? ○

c) un peu collé à vous? ○

18. Lorsque votre enfant rencontre quelqu'un pour la première fois:

a) il lui parle sans plus attendre; ○

b) il s'accroche à vous et refuse de regarder la personne; ○

c) il s'approche de la personne à condition que vous restiez à proximité. ○

19. Lorsque vous proposez un aliment nouveau à votre enfant:

a) il le goûte et, la plupart du temps, l'apprécie; ○

b) il refuse d'y goûter; ○

c) il le goûte si vous l'encouragez, mais prétend presque toujours ne pas aimer. ○

20. Lorsque votre enfant est invité à la fête d'un ami:

a) il s'empresse de rejoindre les autres enfants pour s'amuser avec eux; ○

b) il s'accroche à vous et refuse de vous laisser partir; ○

c) il semble très intimidé et vous devez l'inciter à aller vers les autres. ○

21. Si vous appelez votre enfant alors qu'il est concentré sur une activité :

a) tant que vous ne haussez pas le ton, il fait comme s'il ne vous avait pas entendu, et ce, même si vous l'appelez plusieurs fois ; ○

b) il lève immédiatement la tête ; ○

c) il répond au deuxième, voire au troisième appel. ○

22. Si votre enfant trébuche dans le jardin :

a) il se relève de lui-même ; ○

b) il hurle et attend que quelqu'un le relève ; ○

c) il crie, mais a tôt fait d'oublier sa chute et de passer à autre chose. ○

23. Votre enfant se réveille :

a) au son d'un bruit fort ; ○

b) au moindre bruit ; ○

c) au son d'un bruit relativement fort. ○

24. Est-ce que votre enfant :

a) n'éprouve, en général, aucune difficulté à aller vers les enfants et les adultes ? ○

b) a du mal à aller vers les autres enfants ? ○

c) a du mal à aller vers des enfants qu'il ne connaît pas ? ○

25. Lorsque votre enfant est content, est-ce qu'il :

a) sourit, glousse et rit nerveusement ? ○

b) pousse des grands cris et rit aux éclats, saute et crie, en étant tout excité ? ○

c) s'anime, rit et sourit ? ○

26. Lorsque votre enfant est triste, est-ce qu'il :

a) affiche sa tristesse, gémit et pleure doucement ? ◯

b) pleure à chaudes larmes et a du mal à se calmer ? ◯

c) gémit et pleure, mais se calme facilement ? ◯

27. Lorsque votre enfant est en colère, est-ce qu'il :

a) montre son mécontentement et se met parfois à crier ? ◯

b) crie, hurle et, parfois, donne des coups de pieds ou lance
des objets ? ◯

c) hurle et trépigne ? ◯

28. Lorsque votre enfant se blesse (légèrement), est-ce qu'il :

a) pleure et gémit, bien qu'il soit facile de détourner son
attention ? ◯

b) hurle et pleure ? ◯

c) pleure et a besoin de réconfort ? ◯

**29. Votre enfant a du mal à se concentrer dans une pièce où il y
a du bruit.**

a) Faux. ◯

b) Vrai, c'est très difficile pour lui. ◯

c) Vrai, c'est assez difficile pour lui. ◯

30. Lorsque votre enfant regarde une vidéo ou écoute une histoire :

a) il est concentré ; ◯

b) il se trémousse sur son siège et se désintéresse rapidement
de la vidéo ou du livre ; ◯

c) parfois il est concentré, parfois il ne l'est pas. ◯

Interprétation des résultats

❏ **Une majorité de *a***
Votre enfant est un enfant facile. Les enfants dits « faciles »
sont, généralement, des enfants calmes, épanouis, enjoués avec
des fonctions biologiques parfaitement réglées. Même tout-
petits, les enfants « faciles » se reconnaissent à leur vie régulière
et bien rythmée, notamment le sommeil et les repas. Ils ne
posent aucun problème au moment du sevrage et passent
facilement aux aliments solides. En grandissant, ils mangent
et dorment à des heures régulières, sauf, par exemple, lorsqu'ils sont malades ou stressés, mais tout rentre dans l'ordre
dès qu'ils sont guéris ou sereins. Comme tout le monde, les
enfants faciles aiment ou détestent certaines choses. Pour ce
qui est de l'alimentation, ils ont eux aussi leurs préférences
mais, n'étant pas vraiment difficiles, ils acceptent de goûter à
des aliments nouveaux. De même, ils acceptent que la routine
soit parfois perturbée. Ils sont généralement bien dans leur
peau et ont l'esprit ouvert. Ils sont, le plus souvent, d'humeur
égale. Ils s'adaptent aux changements et aux environnements
nouveaux. Ils acceptent la frustration et, quand ils n'ont pas
ce qu'ils veulent, ils passent à autre chose. Les enfants faciles
sont des enfants heureux et épanouis dont la vie est relativement bien réglée et qui sont prêts à faire de nouvelles expériences. Pour les parents, ce sont les enfants rêvés. Près de 40 %
des enfants ayant fait l'objet des études menées par Alexander
Thomas et Stella Chess entrent dans cette catégorie.

❏ **Une majorité de *b***
Votre enfant est un enfant plus difficile. Les enfants difficiles
sont aux prises avec des émotions intenses souvent négatives.

Ils ont besoin de temps avant d'accepter une routine ; une fois leur vie bien réglée, ils détestent les changements. Ils mettent du temps avant de manger et de dormir à des heures régulières. Le sevrage et l'introduction d'aliments solides dans leur alimentation sont toujours des étapes difficiles à franchir. En grandissant, ce sont généralement des enfants perturbés dont l'appétit varie. Ils refusent de goûter à des aliments nouveaux et, souvent, ils ne terminent pas leur assiette, même s'il s'agit de nourriture qu'ils aiment. Ils se méfient des inconnus et des lieux qui leur sont étrangers. Petits, ils pleurent et se mettent souvent en colère. Lorsqu'ils savent marcher et, de ce fait, ont acquis une certaine indépendance, ils perdent rapidement patience et sont très coléreux. Plus ils grandissent, plus ils deviennent irritables, et moins ils supportent la frustration et le manque d'attention. Tous leurs sentiments sont exacerbés : lorsqu'ils sont heureux, ils sont très heureux et lorsqu'ils aiment, ils aiment avec passion. Ils semblent montés sur des ressorts. Ils gesticulent en regardant la télévision et ils ont le sommeil agité. Il leur est difficile de retrouver leur calme, ils se désintéressent rapidement de ce qu'ils font et éprouvent des difficultés à se concentrer. Si vivre avec des enfants difficiles n'est pas de tout repos pour les parents, des études ont prouvé que, lorsque la vie est semée d'embûches, ce sont ces enfants-là qui s'en sortent le mieux. Environ 10 % des enfants ayant fait l'objet des études menées par Alexander Thomas et Stella Chess entrent dans cette catégorie.

❏ **Une majorité de *c***
Votre enfant est lent à démarrer. Les enfants lents à démarrer sont des enfants prudents et souvent timides, mais, lorsqu'ils sont pris dans une routine ou qu'ils ont appris à connaître les

personnes de leur entourage, ils deviennent épanouis, heureux et enjoués. Le moindre changement (un déménagement, l'entrée à la garderie, un départ en vacances) peut tout perturber. Ces enfants mettent plus de temps à trouver leur rythme quant aux repas ou au sommeil que les enfants faciles. Cela dit, une fois qu'ils ont leurs repères, ils sont plus stables et plus réguliers que les enfants difficiles. Les réactions de ces enfants sont plus ou moins intenses : humeurs plus négatives que chez les enfants faciles, mais moins de sautes d'humeur que les enfants difficiles. Ils ont besoin de temps pour accepter qu'un élément parasite vienne perturber leur routine et sont malheureux tant qu'ils n'ont pas réussi à trouver une nouvelle stabilité. Le sevrage et le passage aux aliments solides sont souvent des étapes douloureuses, même s'il n'y a pas véritablement de crises. Le moindre changement dans leur quotidien risque de les perturber plus ou moins longtemps. Ils sont généralement doux et indécis. Environ 15 % des enfants ayant fait l'objet des études menées par Alexander Thomas et Stella Chess entrent dans cette catégorie.

❏ **Un mélange de *a*, de *b* et de *c***
Votre enfant n'entre dans aucune des catégories précitées. Ils sont la preuve tangible qu'il est impossible de faire entrer tous les enfants dans des catégories bien définies. Comme 35 % des parents qui ont fait ce test, vous avez probablement du mal à mettre votre enfant dans l'une des trois catégories précitées. En effet, votre enfant fait partie des enfants faciles – ou difficiles – sur certains points et pas sur d'autres. Par exemple, il mange et dort à des heures régulières, il est épanoui et heureux comme un enfant facile, mais il est hyperactif et se déconcentre aussi rapidement qu'un enfant difficile. Les enfants

sont des individus et les tests de tempérament ne révèlent que les comportements d'un enfant, et non les comportements qu'un enfant est supposé avoir. Un certain nombre de facteurs sont à prendre en ligne de compte. Si votre enfant obtient des *a*, des *b* et des *c*, cela signifie que, sur certains points, il est un enfant facile et que, sur d'autres, il entre dans la catégorie des enfants difficiles ou dans celle des enfants lents à démarrer. Les questions relatives à chaque caractéristiques sont décrites ci-dessous.

Les neuf caractéristiques permettant de décrire les traits de tempérament

	Bébé	Bambin	Enfant d'âge préscolaire
Le niveau d'activité	Q 1–4	Q 1–4	Q 1-4
La rythmicité (régularité)	Q 27-30	Q 26-28	Q 5-7
L'approche/le recul	Q 17-19	Q 29-30	Q 8-10
L'adaptabilité	Q 23-26	Q 24-25	Q 17-20
Le seuil de réactivité	Q 20-22	Q 20-23	Q 21-24
L'intensité de réaction	Q 13-16	Q 14-19	Q 28-30
La qualité de l'humeur	Q 10-12	Q 11-13	Q 14-16
La distractivité	Q 8-9	Q 8-10	Q 25-27
La durée d'attention/ La persévérance	Q 5-7	Q 5-7	Q 11-13

Comment utiliser ce que vous connaissez du tempérament de votre enfant

Comprendre le tempérament de votre enfant peut vous aider à organiser votre vie de tous les jours afin de réduire au minimum tout risque de frustration ou de colère.

- Pourquoi faire vivre à un enfant actif une situation dans la quelle il doit rester calme et tranquille si ce n'est pas indispensable? Si vous ne pouvez pas faire autrement, soyez réaliste. Emmenez-le régulièrement dehors afin qu'il évacue son trop plein d'énergie et veillez à ce qu'il ait toujours quelque chose entre les mains afin de les occuper.

- Un enfant qui n'aime pas le changement aura probablement du mal à partir en vacances; préparez-le à cette expérience en mettant plusieurs objets qui lui sont familiers dans sa valise.

- Un enfant actif qui se déconcentre facilement a besoin d'évoluer dans un environnement propice : tamisez les lumières, tenez les jouets dont il ne se sert pas hors de sa vue, éteignez le téléviseur ou la radio. L'enfant aura probablement besoin de se dépenser avant de pouvoir entreprendre une activité calme.

- Un enfant qui a besoin de temps pour s'adapter à un changement et qui a tendance à reculer face à toute situation nouvelle devra être exposé progressivement à de nouvelles expériences, être soutenu et encouragé jusqu'à ce qu'il parvienne à ses fins.

- Si vous constatez que votre enfant se comporte comme vous (espérons que ce n'est pas le cas!), la frustration que vous ressentez concerne votre propre comportement. Gardez à l'esprit que même si vos parents vous ont poussé, encouragé à être différent de ce que vous étiez, rien n'y a fait. Pourquoi en serait-il autrement avec votre enfant? Acceptez-le tel qu'il est. Bien sûr, pour des parents, avoir un enfant difficile n'est pas simple, notamment s'ils sont stressés, déprimés ou d'humeur difficile.

Du tempérament à la personnalité

Au fil des ans, les chercheurs ont émis des hypothèses totalement opposées quant à ce qui constituerait la personnalité d'un adulte et le lien existant entre ladite personnalité et le tempérament de cet individu lorsqu'il était enfant. Récemment, les scientifiques se sont mis d'accord pour dire que la « personnalité » d'un individu repose sur cinq éléments ou facteurs de personnalité – les *Big Five* – qui, par ailleurs, ne reflètent pas toujours précisément le tempérament de cet individu.

Voici ces cinq facteurs de personnalité :

- **L'extraversion.** Jusqu'à quel point nous faisons activement partie du monde ou, *a contrario*, nous évitons tout contact social. Les personnes les plus extraverties sont, généralement, actives, sûres d'elles, enthousiastes, ouvertes et volubiles, contrairement aux personnes introverties. Les adultes les plus extravertis étaient, le plus souvent, des enfants actifs dont les traits de tempérament dominants étaient l'approche/le recul, à savoir des enfants n'ayant pas peur de découvrir des lieux, de rencontrer de nouvelles personnes et de tenter de nouvelles expériences.
- **L'agréabilité.** Le fait qu'une personne soit peu ou très chaleureuse, aimante et compatissante. Les traits de tempérament qui ressortaient le plus dans l'enfance des adultes ayant ce facteur de personnalité étaient l'approche/le recul.
- **La conscience.** La mesure de l'impulsivité. Agir sous le coup d'une impulsion détruit toute organisation. Ce facteur de personnalité permet de mesurer l'efficacité, le sens de l'orga-

nisation, la fiabilité, le sens des responsabilités et la minutie dont fait preuve une personne, de même que la manière dont elle arrive à planifier sa vie et à repousser des désirs immédiats au profit d'objectifs plus lointains. Êtes-vous économe ou dépensier? Grignotez-vous ou attendez-vous l'heure du repas? Les adultes ayant ce facteur de personnalité éprouvaient souvent des difficultés à se concentrer et à mener à bien un projet lorsqu'ils étaient enfants.

- **Le névrosisme/l'instabilité émotionnelle.** La mesure de l'anxiété, l'apitoiement sur soi, le stress, la susceptibilité, l'instabilité et l'inquiétude. Un facteur qui révèle jusqu'à quel point une expérience peut mettre en danger ou affliger une personne. Les adultes ayant ce facteur de personnalité avaient souvent des réactions extrêmes et un comportement négatif lorsqu'ils étaient enfants. Les enfants difficiles ont plus de risques d'être des adultes névrosés que les enfants faciles.
- **L'ouverture d'esprit.** Un facteur qui révèle si la personne a un sens artistique peu ou très développé, si elle est curieuse, imaginative, perspicace et si elle a peu ou beaucoup de centres d'intérêt. Ce facteur de personnalité permet de mesurer la qualité de vie d'une personne.

Les changements à court terme: sources de stress

Certaines personnes pensent que le moindre changement dans leur vie – bon ou mauvais – est source de stress. Toutefois, la majorité s'accorde à dire que les principaux stimuli agressifs ou *stressors* représentent des changements de vie négatifs. Tous les enfants risquent, un jour ou l'autre, d'être stressés. Or, lorsqu'ils sont en état de stress, même les enfants les plus faciles (ou les adultes) deviennent difficiles, vulnérables, inquiets, agités et plus sujets aux maladies. Ils se replient sur eux-mêmes, se comportent mal ou de manière puérile. Pour les enfants comme pour les adultes, les stimuli les plus agressifs sont les accidents graves, les catastrophes, la perte d'un être cher : décès, divorce ou longue séparation.

Une séparation de courte durée est plus difficile à supporter pour un enfant que pour un adulte. Même si un adulte a du mal à gérer le fait que la personne qu'il aime soit loin, il sait ce que veut dire concrètement une séparation d'un mois ou de six semaines ; un enfant l'ignore. Pire encore, un enfant peut croire qu'être séparés quelques semaines signifie être séparés à tout jamais. Un changement de gardienne ou un déménagement qui le contraint à se séparer de ses amis ou de ses grands-parents peut également être une source de stress ; de même qu'un changement d'horaire de l'un de ses parents l'obligeant, par exemple, à se priver plus souvent de sa présence durant la semaine. Tout autre changement aura les mêmes conséquences qu'il s'agisse de l'arrivée d'un petit frère ou d'une petite sœur, le fait que l'un de ses parent ait un nouveau partenaire, une maladie ou un déménagement, sans oublier le stress « transmis » par un parent inquiet ou déprimé. Le fait qu'un parent soit inquiet, qu'il ait d'autres préoccupations ou qu'il soit déprimé, en raison du stress ou de la maladie (la sienne ou celle d'un être cher) constitue un autre type de séparation. À ce stress lourd à gérer viennent s'ajouter tous les ennuis du quotidien : rater le bus, casser son jouet préféré, ne pas réussir à mettre correctement ses chaussettes, être pris dans les embouteillages, etc.

Définir le niveau de stress de votre enfant et le vôtre

**Évènements pouvant donner lieu
à une crise chez un enfant**

De grande importance	De moyenne importance	De moindre importance
Décès du père ou de la mère	Le père ou la mère refait sa vie	Sevrage
Divorce ou séparation des parents	Changement de gardienne/garderie	Vacances
Décès d'un membre de la famille proche ou d'un ami	Naissance	Noël
Mutation d'un parent ne vivant pas sous le même toit	Changement de travail d'un parent	Entrée à la garderie
Maladie grave du père ou de la mère	Disputes fréquentes entre les parents	Apprentissage de la propreté
Maladie grave de l'enfant	Maladie de l'enfant, du frère ou de la sœur	Entrée à l'école
Père ou mère dépressifs ou stressés	Déménagement domestique	Mort d'un animal

15 points pour la disparition du père ou de la mère au cours de l'année précédente, **10** pour tous les autres *stressors* (y compris la mort du père ou de la mère survenue au cours des deux dernières années) et **5** pour les *stressors* de moyenne importance qui se sont produits au cours des six derniers mois. **2** pour tous les *stressors* de moindre importance ayant eu lieu au cours de la semaine précédente et **1** pour chacune des cinq choses qui ne se sont pas déroulées comme prévu dans la journée (mettre la chaussure droite au pied gauche ou vice versa, renverser son bol de lait, ne pas trouver la pièce manquante à un casse-tête, piquer une colère, faire une chute, devoir sortir alors que l'enfant n'en a pas envie, etc.). Faites le total des points obtenus et reportez-vous au tableau ci-dessous.

Évènements pouvant donner lieu à une crise chez un adulte

De grande importance	De moyenne importance	De moindre importance
Décès du conjoint ou d'un enfant	Changement de travail	Déménagement < 50 km
Divorce ou séparation	Nouvelle relation amoureuse	Vacances
Décès d'un membre de la famille proche ou d'un ami	Grossesse/naissance	Querelles familiales
Mariage	Disputes fréquentes avec le conjoint	Disputes avec un ami
Maladie grave du conjoint ou d'un enfant	Déménagement > 50 km	Noël
Diagnostic d'une maladie grave	Perte de son emploi	Ennuis professionnels
Dépression	Soucis pécuniers domestiques	Mort d'un animal
Perte de son emploi	Conjoint perd son emploi	Crédit

15 points pour le décès d'un conjoint ou d'un enfant au cours de l'année précédente, **10** depuis plus d'un an, **10** pour tous les autres *stressors* survenus au cours de l'année précédente et **5** pour les *stressors* de moyenne importance qui se sont produits au cours des six derniers mois.

2 pour tous les *stressors* de moindre importance et **1** pour chacune des cinq choses qui ne se sont pas déroulées comme prévu dans la journée (brûler le dîner, être pris dans les embouteillages, ne pas trouver ses clefs de voiture, renverser sa tasse de café, passer plusieurs heures au téléphone, démailler ses collants, s'être fait agresser verbalement par quelqu'un, etc.). Faites le total des points obtenus et reportez-vous au tableau ci-dessous.

Interprétation des résultats

Résultat	En crise?	Niveau de stress	Risque de développer une maladie
< 15	Aucun problème	Faible	
15 – 20	Légère crise	Modéré	33 %
20 – 29	Crise modérée	Élevé	50 %
30 et +	Crise importante	Sévère	80 %

Dans le tableau ci-dessus, j'ai inclus le risque de développer une maladie afin de vous donner une idée des effets négatifs que le stress peut avoir sur vous ou votre enfant. Comme vous pouvez le voir, le risque d'infections s'accroît avec l'intensité de la crise. Le fait que les petits soucis quotidiens augmentent le niveau de stress met en évidence le lien entre le stress et les humeurs de votre enfant, ainsi qu'entre votre stress et votre humeur. De plus, lorsque votre enfant et vous-même êtes tous les deux sous l'emprise du stress, chacun ne fait qu'augmenter la tension ressentie par l'autre. C'est cette spirale inversée que vous devez apprendre à maîtriser. Dans la mesure où l'adulte réussit mieux à rester maître de son comportement – ce qui a une influence indirecte sur le comportement de l'enfant –, il est primordial que vous gardiez un visage souriant, que vous libériez une partie de votre stress et que vous fassiez tout pour être positif. Si vous y parvenez, il y a de grandes chances pour que le comportement et l'humeur de votre enfant s'améliorent, même si cela est plus facile à dire qu'à faire.

Dix points fondamentaux

1. Aimez votre enfant pour ce qu'il est et non ce qu'il peut faire.

2. Assurez-vous que votre enfant s'est défoulé avant d'entreprendre une activité l'obligeant à rester calme, et ce, notamment s'il est actif.

3. Éliminez tout élément parasite susceptible de le distraire. Si votre enfant se déconcentre facilement et passe rapidement d'une activité à une autre, mettez hors de sa vue tous les jouets dont il ne se sert pas.

4. Diminuez le bruit autour de lui. S'il éprouve des difficultés à se concentrer, n'allumez pas la télévision lorsqu'il entreprend une activité.

5. Dites-lui toujours quelque chose de positif quand il fait un effort.

6. Dites-lui combien vous êtes fier de lui lorsqu'il essaie de faire de son mieux.

7. Demandez-lui de relever des défis afin qu'il ait une meilleure image de lui-même s'il réussit.

8. Choisissez des défis qui ont toutes les chances d'aboutir. Si votre enfant essuie sans cesse des défaites, il perdra confiance en lui. À mesure qu'il vieillit, l'enfant qui échoue souvent risque de se croire incompétent et inutile.

9. Ne présumez jamais d'un succès. En effet, votre enfant acceptera d'autant plus mal un échec qu'il aura le sentiment que sa réussite est essentielle pour vous.

10. Laissez-le essayer. Ne le surprotégez pas et n'espérez pas que son comportement soit toujours irréprochable. En tentant d'éliminer toutes les difficultés qu'il est susceptible de rencontrer, vous le faites passer pour un enfant difficile.

Chapitre 6

Test sur l'art d'être parent

Être parent est l'un des rôles les plus difficiles qui soient. Heureusement, c'est aussi l'un des plus gratifiants. Il y a des moments où nous nous sentons frustrés par le comportement de nos enfants, des moments où nous avons peur, des moments où nos enfants nous donnent beaucoup d'amour et de bonheur et – soyons honnêtes – des moments où nous avons envie de hurler : « Je n'aurais jamais cru que ce serait comme ça ! » Quoi qu'il en soit, une chose est sûre : les enfants savent parfaitement comment faire vibrer notre corde sensible ; ce dont nous ne nous serions jamais douter avant de devenir père ou mère.

Le dernier chapitre de cet ouvrage est consacré à l'art d'être parent. Quelle sorte de parent êtes-vous ? Quel type de décision prenez-vous ? Êtes-vous en tout point d'accord avec votre conjoint ? Vous et votre conjoint pouvez décider de faire le test séparément soit pour voir si vous êtes tous les deux sur la même longueur d'onde, soit simplement pour prendre conscience de la manière dont vous agissez. Le premier test vous aide à comprendre quel type de parent vous êtes.

Évaluer votre comportement face à une situation délicate

Pour chacune des six questions ci-dessous, choisissez ce que vous feriez ou diriez à votre enfant face à une situation délicate.

1. Vous surprenez votre enfant en train de nettoyer les toilettes avec une brosse à dents.

a) « C'est une bonne intention, mais pourquoi ne pas plutôt aller jouer avec de l'eau dans l'évier ? » ○

b) « Ce que tu fais est dégoûtant. Tu vas attraper des microbes et être malade. Viens ici que je te lave les mains. » ○

c) « Arrête immédiatement. » ○

d) Tout dépend. Si les toilettes sont propres, je vais probablement éclater de rire. Si elles sont sales, je vais certainement le disputer. ○

2. Vous surprenez votre enfant en train de jouer avec votre maquillage.

a) « Apparemment, tu t'amuses bien, mais ce serait mieux si tu prenais tes crayons pour faire un dessin. » ○

b) « C'est mon maquillage. Ce n'est pas un jouet. Arrête immédiatement. » ○

c) « Arrête tout de suite. » ○

d) Tout dépend de mon humeur et du fait qu'il s'agit ou non de produits neufs. Il se peut que je ris ou que je le dispute. ○

3. Votre enfant veut sauter dans une flaque d'eau.

a) « C'est très amusant, je te l'accorde, mais ce serait mieux si tu avais des bottes. » ○

b) « Arrête ! Tu vas avoir les chaussettes et les chaussures mouillées. Si tu avais mis des bottes, tu pourrais sauter dans la flaque. » ○

c) « Arrête immédiatement ! » ○

d) Je le laisse faire si nous sommes près de la maison et si nous ne sommes pas pressés. Je l'attrape et je l'éloigne

de la flaque d'eau si nous devons aller quelque part ou
si nous sommes pressés. ◯

4. Une fois de plus, votre enfant dessine sur le mur avec un feutre.

a) «C'est un beau dessin, mais si tu le faisais sur une feuille
de papier, nous pourrions l'envoyer à grand-mère.» ◯

b) «Arrête. Tu sais que ce que tu fais n'est pas bien. Les
murs de la maison de maman ne sont pas faits pour
que tu dessines dessus.» ◯

c) «Arrête tout de suite.» ◯

d) Il le fait si souvent que ce n'est pas la peine d'en faire toute
une histoire. S'il dessine sur un mur sur lequel il a déjà dessiné, je le laisse faire. Si c'est un mur propre, je crie, je lui
donne une petite tape et je le fais sortir de la pièce. ◯

5. Vous venez de mettre des vêtements propres à votre enfant et il veut aller jouer dans le tas de sable.

a) «D'accord, mais mets un tablier.» ◯

b) «Je viens de changer tes vêtements. Tu joueras dans le
tas de sable demain.» ◯

c) «NON, tu ne peux pas jouer dans le tas de sable avec
tes vêtements propres.» ◯

d) Je lui dirai probablement de faire attention à ne pas salir
ses vêtements et je me mettrai en colère s'il se salit. ◯

6. Votre enfant sort de table en ayant les mains collantes.

a) Vous ne dites rien. Ça n'a pas d'importance. ◯

b) Vous lui dites : «Lave-toi les mains avant d'aller jouer». ◯

c) Vous lui dites : «Comment as-tu fait pour avoir les mains
dans cet état ?», et vous les lui lavez. ◯

d) Je ne le remarque pas, mais je crie dès que je m'aperçois
qu'il y a des marques de doigts sur le canapé. ◯

Faire le total des points

* Notez le nombre de *a*, *b*, *c* et *d* et reportez le chiffre ci-dessous :

  *a*____ *b*____ *c*____ *d*____

Interprétation des résultats

Les parents les plus conciliants comptabiliseront une majorité de *a* ; les parents sévères, une majorité de *b* ; les parents autoritaires, une majorité de *c* ; et les parents décrocheurs, une majorité de *d*. Le type de parent que vous êtes et les conséquences que cela entraîne vous sont présentés ci-dessous.

Pourquoi nous faisons ce que nous faisons

Nous copions souvent nos parents et sommes avec nos enfants tels qu'ils étaient avec nous. Si nos parents étaient froids et méprisants, il y a peu de chances que nous soyons chaleureux et attentionnés avec notre progéniture. Les enfants en bas âge ne savent pas lire dans la tête de leurs parents. Ils croient ce qu'ils voient et ce qu'ils entendent. Pour certaines personnes, embrasser et câliner un enfant ne vient pas naturellement (par ailleurs, nombre d'enfants n'aiment pas cela), mais dire un mot gentil ou faire un sourire demande peu d'efforts. Fixez-vous une règle : pour chaque critique que vous formulez, dites deux choses gentilles à votre enfant. Cherchez son regard et souriez-lui plus souvent que vous ne le faites habituellement. Et, quoiqu'il fasse et quoique vous ressentiez, dites-lui au moins une fois par jour : « Tu ignores à quel point tu comptes pour moi. »

Adoptez une ligne de conduite tant pour le bien de votre enfant que le vôtre.

- Un enfant qui n'est pas persuadé qu'on l'aime fait tout pour attirer l'attention, et la méchanceté est toujours la meilleure façon. Les enfants ne demandent qu'à être aimés et à être le centre du monde. Si votre enfant ne se sent pas aimé (que ce sentiment soit fondé ou non), il fera tout son possible pour être le centre de vos préoccupations, et ce, à n'importe quel prix. Il préférera votre mauvaise humeur (voire même les gifles) au manque d'attention. Si vous ne cessez de hurler : « Si tu n'arrêtes pas maintenant, je te donne une fessée ! », il aura un comportement des plus désagréables et vous poussera à bout jusqu'à ce que vous lui donniez la fessée promise, preuve que vous faites attention à lui. Il est prêt à tout pour cela !

- Face à un enfant ayant un comportement désagréable, exprimez votre pensée et tenez-vous à ce que vous dites. C'est ici qu'adopter une ligne de conduite prend toute son importance. Si votre enfant fait des pieds et des mains pour attirer votre attention, la meilleure punition est de l'ignorer et de passer à autre chose.

- S'il comprend que toutes ses tentatives pour attirer votre attention sont vaines, il arrêtera.

- Si vous faites ce que vous dites et que vous croyez ce que vous dites CHAQUE fois qu'il est désagréable, il comprendra vite qu'il doit réagir sans attendre. En menaçant un enfant, notamment en répétant inlassablement les menaces, vous ne faites que répondre à ses attentes, à savoir lui témoigner de l'attention.

Repensez aux situations difficiles que vous avez eues à affronter et demandez-vous quelle leçon votre enfant a tiré de chacun des scénarios ci-dessous :

- **Réponse a.** Voici quelque chose d'autre que tu peux faire et qui m'intéresserait davantage. Voici ce que tu pourrais faire pour attirer mon attention.
- **Réponse b.** Si tu obéis à telle ou telle règle, je ferai attention à toi. Voici les limites à ne pas dépasser. Voici ce que tu dois faire : si tu n'agis pas comme je te le demande, ça n'ira plus entre nous. En d'autres termes, je t'ignorerai et, si tu persistes, je te punirai.
- **Réponse c.** Voici ce que tu dois faire. Attends-toi à être puni si tu n'obéis pas.
- **Réponse d.** Ça peut se finir par un rire ou par une gifle. Je te défie de trouver la règle qui mène à l'un ou à l'autre ! Ce qui, bien sûr, est totalement impossible dans la mesure où la règle n'est pas une vraie règle et que la manière dont j'agis dépend de mon humeur et non de ton comportement. À coup sûr, l'enfant ne sait jamais ce qu'il doit faire.

 ## Quel type de parent êtes-vous ?

1. L'un des plus grands bonheurs donnés aux parents est de voir leur enfant grandir et se transformer.

a) Tout à fait d'accord. ◯

b) D'accord. ◯

c) Pas d'accord. ◯

d) Pas du tout d'accord. ◯

2. Il est toujours possible de bien agir, et ce, quelle que soit la situation.

a) Tout à fait d'accord. ◯

b) D'accord.   ○

c) Pas d'accord.   ○

d) Pas du tout d'accord.   ○

3. Je ne menace jamais de punir mon enfant si je sais que je ne le ferai pas.

a) Tout à fait d'accord.   ○

b) D'accord.   ○

c) Pas d'accord.   ○

d) Pas du tout d'accord.   ○

4. Même si c'est difficile, nous sommes parfois obligés de faire du chantage émotif pour obtenir ce que nous voulons.

a) Tout à fait d'accord.   ○

b) D'accord.   ○

c) Pas d'accord.   ○

d) Pas du tout d'accord.   ○

5. Apprendre à son enfant à différencier le bien du mal est le rôle premier des parents.

a) Tout à fait d'accord.   ○

b) D'accord.   ○

c) Pas d'accord.   ○

d) Pas du tout d'accord.   ○

6. Pour devenir des adultes parfaitement équilibrés, les enfants ont besoin d'évoluer dans un milieu stable et prévisible.

a) Tout à fait d'accord.   ○

b) D'accord.   ○

c) Pas d'accord.   ○

d) Pas du tout d'accord.   ○

7. Les parents doivent anticiper les besoins de leur enfant.

a) Tout à fait d'accord. ○

b) D'accord. ○

c) Pas d'accord. ○

d) Pas du tout d'accord. ○

8. Les enfants doivent respecter l'autorité.

a) Tout à fait d'accord. ○

b) D'accord. ○

c) Pas d'accord. ○

d) Pas du tout d'accord. ○

9. Pour inculquer le sens de la discipline à un enfant, ses parents doivent se fixer une ligne de conduite et s'y tenir.

a) Tout à fait d'accord. ○

b) D'accord. ○

c) Pas d'accord. ○

d) Pas du tout d'accord. ○

10. On surestime parfois la joie liée au fait d'être parent.

a) Tout à fait d'accord. ○

b) D'accord. ○

c) Pas d'accord. ○

d) Pas du tout d'accord. ○

11. Il y a toujours quelque chose de nouveau à apprendre dans le métier de parent.

a) Tout à fait d'accord. ○

b) D'accord. ○

c) Pas d'accord. ○

d) Pas du tout d'accord. ○

12. Les enfants ont besoin de savoir la place qu'ils occupent dans la famille.

a) Tout à fait d'accord. ◯

b) D'accord. ◯

c) Pas d'accord. ◯

d) Pas du tout d'accord. ◯

13. J'ai dû laisser tomber un grand nombre de buts que je m'étais fixés pour avoir un enfant.

a) Tout à fait d'accord. ◯

b) D'accord. ◯

c) Pas d'accord. ◯

d) Pas du tout d'accord. ◯

14. Les parents ne peuvent pas être tenus pour responsables de la manière dont leur enfant évolue.

a) Tout à fait d'accord. ◯

b) D'accord. ◯

c) Pas d'accord. ◯

d) Pas du tout d'accord. ◯

15. Il y a un grand nombre de personnes auxquelles je fais confiance et auxquelles je confierai sans hésitation mon enfant.

a) Tout à fait d'accord. ◯

b) D'accord. ◯

c) Pas d'accord. ◯

d) Pas du tout d'accord. ◯

16. Un enfant a besoin de commettre des erreurs pour apprendre, il ne faut pas se précipiter pour l'aider.

a) Tout à fait d'accord. ◯

b) D'accord. ◯

c) Pas d'accord. ◯
d) Pas du tout d'accord. ◯

17. Si nous félicitons trop vite notre enfant, il n'essaiera jamais de se surpasser.

a) Tout à fait d'accord. ◯
b) D'accord. ◯
c) Pas d'accord. ◯
d) Pas du tout d'accord. ◯

18. Il faut agir comme on le sent. Inutile d'embrasser son enfant et de lui faire un câlin si ce n'est pas sincère.

a) Tout à fait d'accord. ◯
b) D'accord. ◯
c) Pas d'accord. ◯
d) Pas du tout d'accord. ◯

19. L'idéal pour un enfant est de vivre sous le même toit que son père et sa mère.

a) Tout à fait d'accord. ◯
b) D'accord. ◯
c) Pas d'accord. ◯
d) Pas du tout d'accord. ◯

20. Si votre enfant vous harcèle, vous baissez les bras.

a) Oui, toujours. ◯
b) Oui. ◯
c) Pas nécessairement. ◯
d) Non, jamais. ◯

21. Un enfant doit toujours savoir les limites à ne pas dépasser.

a) Tout à fait d'accord. ◯
b) D'accord. ◯

c) Pas d'accord. ○

d) Pas du tout d'accord. ○

22. Un mauvais comportement n'est jamais acceptable.

a) Tout à fait d'accord. ○

b) D'accord. ○

c) Pas d'accord. ○

d) Pas du tout d'accord. ○

23. Il est inutile d'imposer des règles à son enfant avant qu'il ait atteint l'âge d'un an.

a) Tout à fait d'accord. ○

b) D'accord. ○

c) Pas d'accord. ○

d) Pas du tout d'accord. ○

24. Vous devez faire savoir à votre enfant que vous l'aimez et qu'il en sera toujours ainsi.

a) Tout à fait d'accord. ○

b) D'accord. ○

c) Pas d'accord. ○

d) Pas du tout d'accord. ○

25. Rien ne vaut un code précis différenciant le bien du mal.

a) Tout à fait d'accord. ○

b) D'accord. ○

c) Pas d'accord. ○

d) Pas du tout d'accord. ○

26. Solliciter son enfant, raisonnablement, l'aide à grandir et le valorise.

a) Tout à fait d'accord. ○

b) D'accord. ○

c) Pas d'accord. ◯

d) Pas du tout d'accord. ◯

27. Plus votre enfant grandit, plus l'amour que vous lui portez évolue et devient fort.

a) Tout à fait d'accord. ◯

b) D'accord. ◯

c) Pas d'accord. ◯

d) Pas du tout d'accord. ◯

28. Vous ne devez jamais donner une tape à votre enfant sauf sous l'emprise de la colère.

a) Tout à fait d'accord. ◯

b) D'accord. ◯

c) Pas d'accord. ◯

d) Pas du tout d'accord. ◯

29. Les enfants en bas âge n'ont pas besoin d'avoir une vie bien réglée.

a) Tout à fait d'accord. ◯

b) D'accord. ◯

c) Pas d'accord. ◯

d) Pas du tout d'accord. ◯

30. Un enfant ne sait pas que vous l'aimez si vous ne le lui montrez pas.

a) Tout à fait d'accord. ◯

b) D'accord. ◯

c) Pas d'accord. ◯

d) Pas du tout d'accord. ◯

31. Tôt ou tard, vous devrez laisser plus de liberté à votre enfant et l'autoriser à faire des choses par lui-même.

a) Tout à fait d'accord. ◯

b) D'accord. ○

c) Pas d'accord. ○

d) Pas du tout d'accord. ○

32. Quel que soit son âge, un enfant doit se coucher à heure fixe.

a) Tout à fait d'accord. ○

b) D'accord. ○

c) Pas d'accord. ○

d) Pas du tout d'accord. ○

33. Parfois, j'aimerais que mon enfant soit différent.

a) Tout à fait d'accord. ○

b) D'accord. ○

c) Pas d'accord. ○

d) Pas du tout d'accord. ○

34. Un enfant a besoin de la religion – ou toute autre structure – pour se construire.

a) Tout à fait d'accord. ○

b) D'accord. ○

c) Pas d'accord. ○

d) Pas du tout d'accord. ○

35. Critiquez le comportement de votre enfant, mais pas ce qu'il est.

a) Tout à fait d'accord. ○

b) D'accord. ○

c) Pas d'accord. ○

d) Pas du tout d'accord. ○

36. Quoi qu'il fasse, ça ne fait jamais de mal de dire à son enfant : « Je t'aime. »

a) Tout à fait d'accord. ○

b) D'accord. ○

c) Pas d'accord. ○

d) Pas du tout d'accord. ○

37. Vous devez accepter que votre enfant ne se comporte pas toujours bien.

a) Tout à fait d'accord. ○

b) D'accord. ○

c) Pas d'accord. ○

d) Pas du tout d'accord. ○

38. Vous ne pouvez pas toujours être systématique : vous devrez parfois faire preuve d'indulgence.

a) Tout à fait d'accord. ○

b) D'accord. ○

c) Pas d'accord. ○

d) Pas du tout d'accord. ○

39. Il faut toujours essayer de trouver quelque chose de gentil à dire quant au comportement de son enfant.

a) Tout à fait d'accord. ○

b) D'accord. ○

c) Pas d'accord. ○

d) Pas du tout d'accord. ○

40. Il est important que votre enfant sache que la manière dont il se comporte avec les autres n'est pas anodine.

a) Tout à fait d'accord. ○

b) D'accord. ○

c) Pas d'accord. ○

d) Pas du tout d'accord. ○

41. Un enfant doit manger à heures régulières.

a) Tout à fait d'accord. ○

b) D'accord. ◯
c) Pas d'accord. ◯
d) Pas du tout d'accord. ◯

42. Vous devez apprendre à vous mettre à la place de votre enfant.

a) Tout à fait d'accord. ◯
b) D'accord. ◯
c) Pas d'accord. ◯
d) Pas du tout d'accord. ◯

43. Il est important d'expliquer à son enfant que son comportement vis-à-vis de lui-même n'est pas sans conséquence.

a) Tout à fait d'accord. ◯
b) D'accord. ◯
c) Pas d'accord. ◯
d) Pas du tout d'accord. ◯

44. Avant de vous engager dans une voie, assurez-vous que vous pourrez la suivre jusqu'au bout.

a) Tout à fait d'accord. ◯
b) D'accord. ◯
c) Pas d'accord. ◯
d) Pas du tout d'accord. ◯

45. J'accepte mes enfants tels qu'ils sont.

a) Absolument. ◯
b) Oui. ◯
c) Pas toujours. ◯
d) Non. ◯

46. J'attends de mon enfant qu'il fasse ce qu'on lui dit.

a) Tout à fait d'accord. ◯

b) D'accord. ◯

c) Pas d'accord. ◯

d) Pas du tout d'accord. ◯

47. Les règles sont là pour être remises en question.

a) Tout à fait d'accord. ◯

b) D'accord. ◯

c) Pas d'accord. ◯

d) Pas du tout d'accord. ◯

48. Dans notre famille, nous n'avons pas l'habitude de donner libre cours à nos sentiments, notamment ce qui a trait à l'affection que nous portons à nos enfants.

a) Tout à fait d'accord. ◯

b) D'accord. ◯

c) Pas d'accord. ◯

d) Pas du tout d'accord. ◯

49. Les règles doivent être strictes et justes.

a) Tout à fait d'accord. ◯

b) D'accord. ◯

c) Pas d'accord. ◯

d) Pas du tout d'accord. ◯

50. J'essaie de toujours suivre la même ligne de conduite, mais j'ai souvent du mal.

a) Tout à fait d'accord. ◯

b) D'accord. ◯

c) Pas d'accord. ◯

d) Pas du tout d'accord. ◯

Faire le total des points

❑ **Pour les questions 4, 10, 11, 13, 14, 15, 16, 17, 18, 19, 21, 23, 25, 28, 29, 31, 33, 37, 38, 47, 48, 50 :**
0 point si vous êtes tout à fait d'accord
1 point si vous êtes d'accord
2 points si vous n'êtes pas d'accord
3 points si vous n'êtes pas du tout d'accord

❑ **Pour les questions 1, 2, 3, 5, 6, 7, 8, 9, 12, 19, 22, 24, 26, 27, 30, 32, 34, 35, 36, 39, 40, 41, 42, 43, 44, 45, 46, 49 :**
3 points si vous êtes tout à fait d'accord
2 points si vous êtes d'accord
1 point si vous n'êtes pas d'accord
0 point si vous n'êtes pas du tout d'accord

Pour chaque question, reportez le résultat obtenu dans le tableau ci-dessous :

Liste A	**Liste B**	**Liste C**
Question 1 ___	Question 2 ___	Question 3 ___
Question 4 ___	Question 5 ___	Question 6 ___
Question 7 ___	Question 8 ___	Question 9 ___
Question 10___	Question 11___	Question 12___
Question 13___	Question 14___	Question 15___
	Question 16___	Question 17___
Question 18___	Question 19___	Question 20___
Question 21___	Question 22___	Question 23___
Question 24___	Question 25___	Question 26___
Question 27___	Question 28___	Question 29___
Question 30___	Question 31___	Question 32___

Question 33___   Question 34___   Question 35___
Question 36___   Question 37___   Question 38___
Question 39___   Question 40___   Question 41___
Question 42___   Question 43___   Question 44___
Question 45___   Question 46___   Question 47___
Question 48___   Question 49___

Faites le total pour chaque colonne, puis reportez-le ci-dessous.

Total liste A : ___   Total liste B : ___   Total liste C : ___

Interprétation des résultats

Pour chaque résultat, deux facteurs entrent en ligne de compte :

- Le degré de réactivité (liste A).
- Le degré de contrôle qui repose lui-même sur deux éléments :
  - penser qu'il est nécessaire d'imposer des règles ;
  - réussir à respecter/suivre les règles établies.

Pour connaître le résultat final, multipliez par deux le résultat obtenu pour la liste A. Pour connaître le résultat « tolérance/rigidité », ajoutez le résultat obtenu pour la liste B et pour le résultat « permissif/non permissif », ajoutez le résultat obtenu pour la liste C.

Reportez-vous au tableau ci-dessous pour savoir dans quelle catégorie vous entrez.

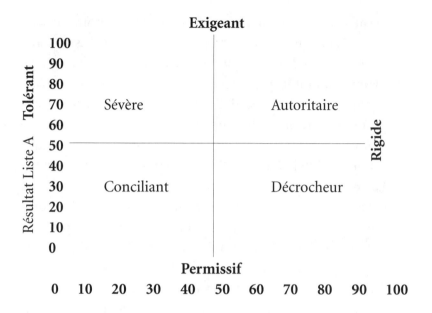

Résultat Liste B

Résultat A élevé et résultat B + C peu élevé : parent sévère

Résultat A élevé et résultat B + C élevé : parent autoritaire

Résultat A peu élevé et résultat B + C peu élevé :
parent conciliant

Résultat A peu élevé et résultat B + C élevé : parent décrocheur

- **Les parents conciliants et permissifs** savent créer un environnement dans lequel règnent l'amour et la tolérance. Les enfants sont traités comme des individus à part entière et acceptés pour ce qu'ils sont et ce qu'ils font. Même si les parents conciliants définissent des règles, ils encouragent leurs enfants à penser par eux-mêmes et à devenir indépendants. Les enfants élevés par des parents conciliants sont généralement affectueux, tolérants, indépendants, ouverts, actifs et ont une grande estime de soi. Les parents conciliants et permissifs interdisent à leurs enfants de faire certaines choses uniquement quand ils y sont contraints. Ils sont plus du genre à dire « J'attends de toi que tu te comportes de telle ou telle manière », plutôt que « Je veux que tu fasses ceci ou cela ». Lorsque ce type d'éducation fonctionne, les enfants se comportent généralement bien même si certains traits de caractère (comme l'agressivité) doivent être contenus. Ce type d'éducation ne convient pas aux enfants agressifs ou coléreux.

- **Les parents sévères** sont chaleureux, mais directifs. Leurs enfants savent qu'ils sont aimés, mais qu'ils doivent se comporter comme il se doit. Les enfants sont souvent surprotégés et très dépendants. Néanmoins, ce type d'éducation donne généralement de bons résultats. Si vous avez eu du fil à retordre avec votre enfant et que vous voulez redresser la barre, c'est probablement le type de comportement qu'il vous faut adopter. Si les parents conciliants et permissifs sont la solution idéale pour des enfants faciles, les enfants plus difficiles ont besoin de parents sévères. Dans un milieu où règnent l'affection, la fermeté et l'équité, les enfants se sentent en sécurité et ont une grande estime de soi. Ils deviennent indépendants et réussissent, généralement, ce qu'ils entreprennent. Souvent moins créatifs que les enfants élevés par des parents conciliants et permissifs, ils ont également moins tendance à avoir recours à des stupéfiants ou à boire de l'alcool. Dans la plupart des cas, les enfants élevés par des parents sévères sont ceux qui ont le plus de chances de réussir leur vie d'adultes.

- **Les parents autoritaires** définissent des règles claires et attendent de leurs enfants qu'ils obéissent. Par un mode d'éducation très directif, ils entendent enseigner à leurs enfants des règles morales et sociales auxquelles ils croient. Ils attendent de leurs enfants qu'ils respectent ces règles sans jamais les remettre en question. Le bon côté de ce type d'éducation : les enfants connaissent parfaitement les limites à ne pas dépasser et savent ce à quoi ils peuvent prétendre. Le mauvais côté : ces enfants sont souvent repliés sur eux-mêmes, voire parfois renfrognés. Leurs rapports avec les autres sont fréquemment basés sur la controverse et un manque de spontanéité. En grandissant, ces enfants deviennent souvent eux-mêmes autoritaires. Ils peuvent faire preuve d'agressivité et parfois de brutalité vis-à-vis des autres enfants ; ou encore retournent-ils leur agressivité contre eux, devenant des victimes ayant une très mauvaise image de soi.

- **Les parents décrocheurs** libèrent leurs enfants de toutes contraintes liées à des règles sans, toutefois, les élever dans la ouate ou les surprotéger. Les enfants vivent et apprennent en faisant des erreurs. Une éducation qui peut sembler avoir du bon – notamment pour les parents dont les centres d'intérêt ne tournent pas autour de leur progéniture –, mais qui est parfois dure à vivre, soit pour l'enfant lui-même, soit pour les personnes qui s'occupent de l'enfant en dehors du noyau familial. En effet, les enfants recevant ce type d'éducation sont souvent coléreux, rebelles et désobéissants. Ils ont tendance à faire preuve d'agressivité et d'hostilité, et ont souvent des rapports tendus avec leurs pairs. En un mot, les parents décrocheurs ne sont pas les parents idéaux, leurs relations avec leurs enfants pouvant avoir des conséquences parfois catastrophiques. La majorité des parents décrocheurs sont submergés par des problèmes de tous ordres ou sont dépressifs : il faut donc s'abstenir de les juger trop rapidement. Ne pas prêter toute l'attention qu'il mérite à un enfant est la pire des choses ; or, les enfants ayant des parents décrocheurs ont souvent le sentiment de ne pas être aimés et d'être délaissés.

Le monde réel

Si la majorité des parents entrent dans l'une ou l'autre des catégories mentionnées ci-dessus, une minorité demeure inclassable. Par ailleurs, sous le poids du stress – face à tout ce qu'ils ont à faire et qu'ils n'ont pas le temps de faire –, des soucis de tous ordres et des relations tendues avec les uns ou les autres, même les parents les plus conciliants peuvent devenir autoritaires et décrocheurs. Mais qu'est-ce qui est le plus important ? Et quelles limites devons-nous nous imposer ?

Si nous considérons les différents types de parents décrits ci-dessus, ce qui semble indéniable, c'est qu'un environnement chaleureux et compréhensif, au sein duquel une certaine ligne de conduite est respectée, donne de meilleurs résultats. La manière dont vous imposez ou suivez certaines règles est un facteur de moindre importance. Quoiqu'il en soit, n'oubliez jamais que ce qui est primordial pour un enfant, c'est qu'il se dise :

- « Je suis aimé pour ce que je suis et ce que je fais. »
- « Je compte beaucoup pour mes parents. »
- « Je peux le faire, il suffit d'essayer. »
- « La manière dont j'agis et dont je me comporte avec moi-même et mon entourage est primordiale. »

Quel que soit le style de parents auquel vous vous identifiez, veillez à ce que les messages ci-dessus passent et à ce que votre enfant sache :

- qu'il sera toujours aimé ;
- qu'il occupe une place privilégiée dans votre vie ;
- que vous êtes conscient des efforts qu'il fait ;

- que vous attendez de lui qu'il tente des choses;
- qu'il se respecte autant qu'il respecte les autres.

Test sur l'art d'être parent

Ce test se penche sur un autre aspect de l'art d'être parent. Nous verrons de quoi il s'agit une fois que vous aurez fait le test.

1. Vous avez donné la tétée à votre enfant de six semaines il y a deux heures; il pleure et réclame le sein de nouveau. Le nourrissez-vous?

a) Toujours. ◯

b) Peut-être si je pense qu'il a réellement faim et que je ne fais pas autre chose. ◯

c) Jamais. ◯

2. Votre enfant de six mois se réveille une demi-heure avant l'heure de la tétée. Vous êtes en train de préparer le repas. Arrêtez-vous ce que vous faites pour le nourrir?

a) Toujours. ◯

b) Peut-être. ◯

c) Jamais. ◯

3. Votre enfant de huit mois veut monter l'escalier à quatre pattes.

a) Vous l'empêchez d'accéder à l'escalier en installant une barrière de sécurité. ◯

b) Vous le laissez parfois faire, mais vous le suivez de près. ◯

c) Vous le laissez toujours faire. ◯

4. Votre enfant de un an hurle pour avoir un autre biscuit, vous le lui donnez.

a) Toujours. ○

b) Peut-être. ○

c) Jamais. ○

5. Votre enfant de un an veut jouer avec une prise électrique.

a) Vous faites en sorte qu'il ne puisse plus avoir accès à la prise. ○

b) Vous lui dites « Non », puis vous faites en sorte qu'il ne puisse plus avoir accès à la prise. ○

c) Vous dites « Non ». S'il réitère, vous haussez le ton ou lui donnez une petite tape sur la main en disant « Non » fermement ; vous ne déplacez pas la prise électrique. ○

6. Votre enfant de un an veut manger tout seul. Vous devez partir dans une demi-heure.

a) Vous ne le laissez pas faire, car il salira tout et vous n'aurez pas le temps de changer ses vêtements. ○

b) Vous le laissez faire, mais vous craignez le pire. ○

c) Vous le laissez faire en vous disant que vous nettoierez en rentrant et que, de toute manière, ce qui risque le plus d'être sali, c'est son bavoir. ○

7. Votre enfant de 14 mois veut s'habiller tout seul.

a) Vous l'habillez. ○

b) Vous le laissez faire ce qu'il peut. ○

c) Vous le laissez faire et vous lui venez en aide s'il en a besoin. ○

8. Votre enfant de 18 mois refuse de mettre son manteau pour aller faire les courses.

a) Vous remettez les courses à plus tard. ○

b) Vous lui parlez et essayez de le persuader de mettre son manteau.   ◯

c) Vous insistez sur le fait qu'il va venir avec vous faire les courses ; avec ou sans manteau.   ◯

9. Votre enfant de deux ans veut manger tout seul.

a) Vous ne le laissez pas faire de peur des dégâts prévisibles.   ◯

b) Vous le laissez faire, mais craignez le pire.   ◯

c) Vous le laissez faire.   ◯

10. Votre enfant de deux ans veut s'habiller tout seul.

a) Vous l'habillez.   ◯

b) Vous le laissez faire ce qu'il peut.   ◯

c) Vous le laissez faire et vous lui venez en aide s'il en a besoin.   ◯

11. Votre enfant de trois ans veut faire de la balançoire.

a) Vous en faites avec lui.   ◯

b) Vous le laissez monter sur la balançoire, mais vous le tenez.   ◯

c) Vous le laissez faire.   ◯

12. Votre enfant de quatre ans est dans la piscine avec une bouée et des flotteurs.

a) Vous restez avec lui quoiqu'il arrive.   ◯

b) Vous allez dans l'eau avec lui, et vous nagez près de lui.   ◯

c) Vous le surveillez depuis le bord de la piscine.   ◯

Résultats

1___   2___   3___   4___   5___   6___   7___   8___
9___   10___   11___   12___

Interprétation des résultats

Ce test porte sur l'indépendance. Dans le meilleur des cas, vous devez voir une progression entre la première et la dernière questions, c'est-à-dire plus de *a* et de *b* au début, plus de *b* et de *c* vers la fin. Les parents qui remplissent bien leur rôle sont flexibles, laissent «vivre» leurs enfants et leur accordent toujours une certaine liberté. Ils ne les briment pas en bas âge pour leur laisser faire tout ce qu'ils veulent dès qu'ils entrent au collège ou atteignent un certain âge. Vous devez cesser des gestes comme donner à manger à votre enfant ou l'habiller avant qu'il entre à l'école. Dans le même esprit, vous devez comprendre et accepter que porter sa cuillère à sa bouche ne sera pas, dans un premier temps, chose aisée : inévitablement, il se salira. Tous les enfants mettent leur pantalon le devant derrière et, de colère, jettent leurs chaussettes à l'autre bout de la pièce. Essayez de simplifier la vie à votre enfant ; par exemple, en lui donnant son pantalon de telle sorte qu'il ne puisse pas se tromper de côté et en achetant des chaussettes sans talon plus faciles à mettre. Plus votre enfant grandit, plus vous devez le laisser être indépendant.

Écoutez la petite voix qui est en vous

Complétez la fin des phrases ci-dessous.

1. Une bonne mère (un bon père) ne devrait jamais…

_____
_____
_____
_____
_____

2. Une bonne mère (un bon père) devrait s'assurer que…

_____
_____
_____
_____
_____

3. Un bébé ne devrait jamais…

_____
_____
_____
_____
_____

4. Un enfant devrait toujours…

_____
_____

_____

_____

_____

_____

5. Je dirais qu'un mauvais parent, c'est un père ou une mère qui...

_____

_____

_____

_____

_____

_____

- À la différence des autres tests, il n'y a aucun résultat. En effet, le but de ce test est de vous faire réfléchir sur la manière dont la société, la famille et la culture influencent vos croyances. Relisez ce que vous venez d'écrire et demandez-vous : « Qui parle ? » Quelle est cette petite voix au fond de vous qui vous dicte vos pensées ? Plus important encore, demandez-vous si cette petite voix a raison.

Élever un enfant à deux

Test n° 1 : Le partage des tâches : désirs et réalité

Les trois tests ci-après s'adressent à vous et à votre conjoint. Ils doivent révéler la façon dont vous pensez que le père et la mère doivent se répartir les rôles et élever leur enfant à deux. Nous entendons beaucoup de choses sur les différences entre les hommes et les femmes et le rôle que chacun joue ou doit jouer dans la famille. Qu'en pensez-vous ? Et pour ce qui est d'élever un enfant à deux, la réalité correspond-elle toujours à vos attentes ? Ci-dessous, des questions qui s'adressent à la mère et des questions qui s'adressent au père.

Questions à la mère

Quelles tâches partagez-vous avec votre conjoint et quelles tâches assurez-vous invariablement seule ?

	Tâches partagées	Tâches non partagées
Changer la couche	❏	❏
Laver le linge de bébé	❏	❏
Habiller les enfants	❏	❏
Donner le bain aux enfants	❏	❏
Coucher les enfants	❏	❏
Jouer avec les enfants	❏	❏
Emmener les enfants au jardin public	❏	❏
Préparer le repas des enfants	❏	❏
Donner à manger aux enfants	❏	❏
Se lever la nuit pour les enfants	❏	❏
Traiter des questions de gardienne ou de garderie	❏	❏
Imposer une discipline aux enfants	❏	❏
Aller chercher les enfants chez la gardienne ou à la garderie	❏	❏
Prendre une journée de congé quand les enfants sont malades	❏	❏

Comptez 1 point à chaque fois que vous aimeriez partager une tâche qui, invariablement, vous incombe.

Questions au père

Quelles tâches partagez-vous avec votre conjointe et quelles tâches assurez-vous invariablement seul?

	Tâches partagées	Tâches non partagées
Changer la couche	❏	❏
Laver le linge de bébé	❏	❏
Habiller les enfants	❏	❏
Donner le bain aux enfants	❏	❏
Coucher les enfants	❏	❏
Jouer avec les enfants	❏	❏
Emmener les enfants au jardin public	❏	❏
Préparer le repas des enfants	❏	❏
Donner à manger aux enfants	❏	❏
Se lever la nuit pour les enfants	❏	❏
Lire une histoire aux enfants	❏	❏
Imposer une discipline aux enfants	❏	❏
Aller chercher les enfants chez la gardienne ou à la garderie	❏	❏
Prendre une journée de congé quand les enfants sont malades	❏	❏

Comptez 1 point à chaque fois que vous aimeriez partager une tâche qui, invariablement, vous incombe.

Retranchez le total des points obtenus pour le père au total des points obtenus par la mère. Y-a-t-il un problème? Si oui, repassez en revue les domaines litigieux. L'objet du test n'est pas de voir ce que vous faites par rapport à votre conjoint, mais de comparez vos attentes par rapport à ce que vous voudriez que l'autre fasse et ce qu'il fait réellement. Demandez-vous enfin si cette situation vous satisfait et satisfait votre conjoint.

Test n° 2 : Partagez-vous les mêmes croyances?

Ce test-ci porte également sur le rôle des deux parents, mais, cette fois-ci, en mettant l'accent davantage sur l'idéologie que sur la pratique. La perception que nous avons de nos propres parents conditionne notre manière d'être parent, de même qu'elle modèle nos attentes. Si nous pensons avoir eu des parents géniaux, nous nous évertuons à les copier et, dans le cas contraire, à faire mieux qu'eux. Or, notre conjoint n'a pas forcément reçu la même éducation, ce qui explique pourquoi nombre de couples parlent beaucoup d'éducation dans les mois qui précèdent la naissance de leur enfant. Les futurs parents suivent souvent des cours qui leur apprennent comment nourrir et donner le bain à un bébé, mais qui n'abordent pas les questions plus fondamentales. Le test ci-dessus a pour but de faire le point sur vos croyances. Il n'y a ni bonnes ni mauvaises réponses; ni bons ni mauvais résultats. L'objectif est uniquement de permettre aux parents de comparer leurs réponses afin de voir ce qui les rapproche et ce qui les différencie.

Questions à la mère

Répondez oui ou non à ces questions ou affirmations.

	Oui	Non
1. Un petit bébé doit-il être nourri à sa demande ?	❑	❑
2. Faut-il prendre un bébé dès qu'il pleure ?	❑	❑
3. Faut-il gâter un bébé ?	❑	❑
4. Faut-il gâter un enfant ?	❑	❑
5. Les enfants doivent-ils toujours se coucher à la même heure ?	❑	❑
6. Les enfants doivent-ils avoir le droit de dormir dans le lit de leurs parents ?	❑	❑
7. Les enfants doivent-ils avoir le droit de venir dans le lit de leurs parents le matin ?	❑	❑
8. Rien ne s'oppose à laisser un bébé d'un mois sous la surveillance d'une gardienne d'enfant.	❑	❑
9. Les parents peuvent passer une fin de semaine en amoureux sans leurs enfants.	❑	❑
10. Les mères peuvent reprendre leur travail avant que leur bébé ait quatre mois.	❑	❑
11. Les mères peuvent reprendre leur travail avant que leur enfant soit scolarisé.	❑	❑
12. Il n'y a pas de mal à ce que les bébés aient une tétine.	❑	❑
13. Un enfant de quatre mois doit avoir le droit de sucer sa tétine en public.	❑	❑
14. Un enfant doit avoir le droit de se masturber en privé.	❑	❑
15. Un enfant doit avoir le droit de se masturber en public.	❑	❑

	Oui	Non
16. Il est important d'avoir de bonnes manières et de bien se tenir.	❏	❏
17. Il n'y a pas de mal à donner une tape à un enfant de temps à autre.	❏	❏
18. Les enfants doivent toujours manger tout ce qu'il y a dans leur assiette.	❏	❏
19. Les enfants doivent manger ce que mangent les autres membres de la famille.	❏	❏
20. Les enfants doivent pouvoir choisir leurs vêtements.	❏	❏

Répondez vrai ou faux à ces affirmations.

	Vrai	Faux
1. Le père doit pourvoir aux besoins de sa famille.	❏	❏
2. La mère doit s'occuper de sa famille.	❏	❏
3. Celui du père ou de la mère qui travaille le plus à l'extérieur doit être dispensé de certaines tâches ménagères.	❏	❏
4. Celui du père ou de la mère qui a le salaire le plus élevé doit être dispensé de certaines tâches ménagères.	❏	❏
5. C'est le père qui doit faire régner la discipline à la maison.	❏	❏
6. Les parents sont responsables du mauvais comportement de leurs enfants.	❏	❏

Questions au père

Répondez oui ou non à ces questions ou affirmations.

	Oui	Non
1. Un petit bébé doit-il être nourri à sa demande ?	❏	❏
2. Faut-il prendre un bébé dès qu'il pleure ?	❏	❏
3. Faut-il gâter un bébé ?	❏	❏
4. Faut-il gâter un enfant ?	❏	❏
5. Les enfants doivent-ils toujours se coucher à la même heure ?	❏	❏
6. Les enfants doivent-ils avoir le droit de dormir dans le lit de leurs parents ?	❏	❏
7. Les enfants doivent-ils avoir le droit de venir dans le lit de leurs parents le matin ?	❏	❏
8. Rien ne s'oppose à laisser un bébé de un mois sous la surveillance d'une gardienne d'enfant.	❏	❏
9. Les parents peuvent passer une fin de semaine en amoureux sans leurs enfants.	❏	❏
10. Les mères peuvent reprendre leur travail avant que leur bébé ait quatre mois.	❏	❏
11. Les mères peuvent reprendre leur travail avant que leur enfant soit scolarisé.	❏	❏
12. Il n'y a pas de mal à ce que les bébés aient une tétine.	❏	❏
13. Un enfant de quatre mois doit avoir le droit de sucer sa tétine en public.	❏	❏
14. Un enfant doit avoir le droit de se masturber en privé.	❏	❏
15. Un enfant doit avoir le droit de se masturber en public.	❏	❏

	Oui	Non
16. Il est important d'avoir de bonnes manières et de bien se tenir.	❏	❏
17. Il n'y a pas de mal à donner une tape à un enfant de temps à autre.	❏	❏
18. Les enfants doivent toujours manger tout ce qu'il y a dans leur assiette.	❏	❏
19. Les enfants doivent manger ce que mangent les autres membres de la famille.	❏	❏
20. Les enfants doivent pouvoir choisir leurs vêtements.	❏	❏

Répondez vrai ou faux à ces affirmations.

	Vrai	Faux
1. Le père doit pourvoir aux besoins de sa famille.	❏	❏
2. La mère doit s'occuper de sa famille.	❏	❏
3. Celui du père ou de la mère qui travaille le plus à l'extérieur doit être dispensé de certaines tâches ménagères.	❏	❏
4. Celui du père ou de la mère qui a le salaire le plus élevé doit être dispensé de certaines tâches ménagères.	❏	❏
5. C'est le père qui doit faire régner la discipline à la maison.	❏	❏
6. Les parents sont responsables du mauvais comportement de leurs enfants.	❏	❏

Vous et votre conjoint êtes en complet désaccord

La meilleure chose à faire dans ce cas de figure est de dialoguer. Il suffit parfois de parler pour comprendre qu'il vaut mieux que certains principes ne soient pas mis en pratique. Néanmoins, il arrive que chacun des conjoints soit obligé de capituler afin de trouver un consensus. En effet, il est impensable qu'un enfant doive suivre certaines règles lorsque son père est à la maison et s'occupe de lui et d'autres règles quand il est avec sa mère.

S'il vous est impossible de trouver un terrain d'entente sur des points aussi fondamentaux que donner une gifle à votre enfant ou accepter qu'il dorme avec vous, essayez de relativiser. Qu'est-ce qui est le plus important ? Pouvez-vous faire des concessions sur ce point et refuser de lâcher prise sur d'autres ? Pour ce qui est de donner une gifle à un enfant, si votre enfant n'en tire aucun bien, il n'en sera pas traumatisé pour autant à condition que cela reste occasionnelle (soit pas plus de deux gifles par mois). Par contre, il est prouvé que des enfants qui reçoivent des gifles pour tout et pour rien, voire qui sont battus par leurs parents, deviennent agressifs et s'en prennent aux enfants qu'ils côtoient ou deviennent eux-mêmes les victimes d'enfants agressifs.

Les enfants apprennent en vivant leurs expériences. Si vous les tapez pour obtenir d'eux ce que vous voulez, ils feront de même. Pour ce qui est d'autoriser un enfant à dormir dans le lit de ses parents, tous les enfants du monde l'ont fait ou le font sans que cela porte à conséquences. Cela dit, aux États-Unis et en Europe du Nord, les enfants ne dorment généralement pas avec leurs parents, et ils ne s'en portent pas plus mal.

Test n° 3 : Ce que vous pensez du rôle et de la façon dont doivent se comporter les hommes et les femmes

Ce test porte sur ce que ce que vous pensez (votre avis personnel) de la nature profonde des hommes et des femmes. Les premières questions s'adressent aux mères et les secondes, aux pères.

Questions à la mère

Quels traits de caractère décrivent et correspondent le mieux aux hommes ? Quels traits de caractère décrivent et correspondent le mieux aux femmes ?

	Les hommes	Les femmes
Attirant(e)	❏	❏
Émotif(ve)	❏	❏
Aimant(e)	❏	❏
Courageux(se)	❏	❏
Séduisant(e)	❏	❏
Sait gérer l'argent	❏	❏
Sait prendre des décisions	❏	❏
Tolérant(e)	❏	❏
Intuitif(ve)	❏	❏
Aventureux(se)	❏	❏
Patient(e)	❏	❏
Intelligent(e)	❏	❏
Doux(ce)	❏	❏
Travailleur(se)	❏	❏

Questions au père

Quels traits de caractère décrivent et correspondent le mieux aux hommes ? Quels traits de caractère décrivent et correspondent le mieux aux femmes ?

	Les hommes	**Les femmes**
Attirant(e)	❏	❏
Émotif(ve)	❏	❏
Aimant(e)	❏	❏
Courageux(se)	❏	❏
Séduisant(e)	❏	❏
Sait gérer l'argent	❏	❏
Sait prendre des décisions	❏	❏
Tolérant(e)	❏	❏
Intuitif(ve)	❏	❏
Aventureux(se)	❏	❏
Patient(e)	❏	❏
Intelligent(e)	❏	❏
Doux(ce)	❏	❏
Travailleur(se)	❏	❏

Une fois encore, il n'y a ni bonnes ni mauvaises réponses. Tout dépend de l'opinion de chacun. Ce qui est intéressant, c'est d'identifier les points sur lesquels votre conjoint et vous vous rejoignez et ceux sur lesquels vous divergez.

L'art d'être parent : 10 points fondamentaux

1. Sachez que les enfants ne peuvent pas se voir refuser le droit d'être aimés. Être aimé n'est pas un droit qui se mérite.

2. Sachez que l'amour d'un enfant pour ses parents n'est pas un droit. Cet amour se mérite, et pour cela les parents doivent aimer et répondre aux besoins de leur enfant.

3. Critiquez le comportement de votre enfant, mais jamais ce qu'il est. Il n'est ni méchant ni stupide ; il a un comportement désagréable et bête.

4. Montrez toujours à votre enfant que vous l'aimez. Dire « Je t'aime » prend peu de temps. Votre enfant doit savoir que l'amour qu'il vous porte est réciproque.

5. Soyez toujours prêt à discuter avec votre conjoint des questions liées au rôle de parent. Ni l'un ni l'autre n'avez raison ou tort. Si vous n'arrivez pas à trouver un consensus, faites appel à un tiers.

6. Veillez à ce est que votre enfant sache toujours quelle ligne de conduite il doit suivre, c'est le plus important.

7. Essayez de trouver des compromis. Pour votre enfant, le parent qui l'aime le plus et le traite le mieux aura toujours raison.

8. Respectez les droits de votre enfant : l'aimer, vous occuper de lui, le nourrir, lui offrir un toit et le protéger. L'indulgence n'est pas un droit. Vous n'avez pas à être indulgent avec lui sauf s'il se comporte bien.

9. Veillez, en tant que parent, à ne pas montrer vos différends à votre enfant. Votre conjoint est le père de votre

enfant, et ce, quoiqu'il fasse. Votre conjointe est la mère de votre enfant, et ce, quoiqu'elle fasse. Vous pouvez vous critiquer devant vos amis ou les membres de votre famille, mais jamais devant votre enfant qui ne doit en aucun cas être témoin de ces querelles. Vous êtes des adultes, comportez-vous en adultes.

10. Souvenez-vous que personne n'est toujours parfait. Nous avons tous droit à l'erreur et nos enfants aussi. N'ayez pas honte de vous excuser et de donner un baiser pour vous faire pardonner.

Conclusion

Aider son enfant à grandir et à s'épanouir le mieux possible est la principale préoccupation de la majorité des parents. J'espère que les différents tests et les petites expériences sur lesquels repose cet ouvrage vous ont permis de mieux comprendre votre enfant et, par delà, de voir comment vous pouvez mettre à jour et développer ses aptitudes naturelles. Les enfants sont des individus à part entière. Créer un environnement propice à l'évolution de votre enfant est la chose la plus importante que vous puissiez faire pour lui. Or, vous n'y parviendrez que si vous réussissez à percer le secret de sa vraie nature.

Le corps du nouveau-né que vous tenez dans vos bras est totalement façonné; en le regardant, vous pouvez déjà deviner l'adulte qu'il deviendra. Il en va autrement pour son cerveau, ses pensées et son comportement. La tête des bébés est petite, de même que leur cerveau. Seuls un tiers des neurones sont arrivés à maturité et nombre de connexions entre les cellules cérébrales ne sont pas encore établies, ce qui explique que le nouveau-né voit, se rappelle, communique et pense différemment. Comme l'ont montré les différentes listes de contrôle, plus un enfant est prêt à être scolarisé, plus il ressemble à l'adulte. La plupart des chercheurs affirment qu'un enfant de deux ans a plus de points en commun avec l'adulte qu'il n'en a avec le bébé de deux mois qu'il était. C'est vers l'âge de deux ans que l'enfant change le plus. Selon la vie qu'il mène, son cerveau devient plus ou moins mature. Des études portant sur des personnes s'occupant d'enfants au quotidien ont révélé que l'expérience qui permette le mieux aux enfants de grandir et de se développer intellectuellement leur est offerte par ceux et celles qui comprennent ses besoins. J'espère que les listes de contrôle et les tests regroupés dans cet ouvrage vous ont aidé à comprendre que les enfants ne se développent pas tous au même rythme. En effet, chacun emprunte une route différente ; une route sur laquelle vous devez être présent afin de les aider à surmonter les obstacles et à franchir les différentes étapes.

Gardez à l'esprit que les âges sur lesquels reposent les différents tests ne sont que des moyennes. Pour un enfant qui maîtrise un domaine, un autre enfant n'a pas encore franchi cette étape, et il n'y a pas lieu de s'inquiéter pour cela. Encouragez votre enfant à accomplir des choses, bien sûr, mais en tenant compte de ses aptitudes. Entretenir trop d'attentes envers un enfant peut avoir des conséquences terribles : il peut développer une image négative de lui, et ainsi perdre confiance en ses capacités ; il peut aussi ne plus rien entreprendre ou ne plus rien décider. L'image qu'il a de sa propre personne dépend de l'ambition que vous avez pour lui. N'oubliez jamais qu'un enfant qui vit dans un milieu aimant et attentionné est non seulement un enfant plus heureux et en meilleure santé, mais aussi un individu qui a toutes les chances de réussir sa vie d'adulte.

Table des matières